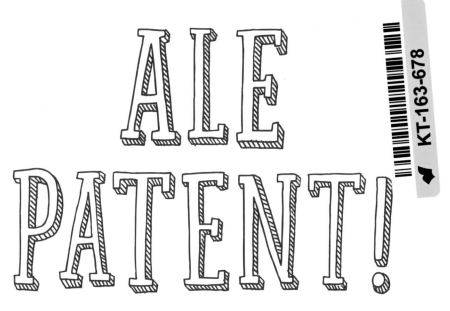

ALE PATENT!

KSIĘGA NIEWIARYGODNYCH WYNALAZKÓW

Małgorzata Mycielska
Aleksandra i Daniel Mizielińscy

Wydawnictwo Dwie Siostry
Warszawa 2014

Po co nam wynalazki?

Marzenie albo potrzeba – stąd się biorą wynalazki. Ludzie coś sobie wymarzą – i z całych sił starają się to osiągnąć. Albo nie chce im się czegoś robić – i kombinują, jak ułatwić sobie pracę. To dlatego zaczynają wymyślać najróżniejsze rzeczy.

Bo właściwie: dlaczego nie? Próbować każdemu wolno! Nie próbują tylko lenie i ci, którym brak odwagi. Prawdziwi wynalazcy mają fantazję – i nie stawiają jej granic. A nuż wyniknie z tego coś fajnego i użytecznego?

Nie ma co się bać, że inni uznają nasze pomysły za głupie i nic niewarte. Niech sami coś wymyślą! Pewnie, że czasem nie wychodzi, ale czy to znaczy, że nie warto ryzykować? Zwłaszcza że przy okazji

4

można się świetnie bawić – mieć frajdę, że tworzy się coś samemu. Poza tym: im więcej prób, tym większa szansa na sukces. Ten, kto nie próbuje, na pewno nic nie wynajdzie. A nawet geniuszom nie zawsze wszystko się udaje.

Weźmy takiego Leonarda da Vinci, który żył 500 lat temu i był naprawdę wielkim uczonym. Zaprojektował całe mnóstwo przeróżnych urządzeń, na przykład samochód, helikopter, lotnię, spadochron, łódź podwodną, windę, teleskop, robota rycerza czy buty do chodzenia po wodzie. Tylko nieliczne z nich zostały zbudowane za jego życia. Większość nie dała się zbudować, choćby z tego powodu, że nie znano wówczas odpowiednich materiałów albo że w projektach pojawiały się

świder latający

spadochron

nakręcany wózek, który można zaprogramować

pancerna maszyna bojowa

Leonardo da Vinci

błędy. Poza tym jego wynalazki często wyprzedzały swoją epokę, więc się na nich nie poznano, albo wcale nie były potrzebne, dlatego nikomu (może poza samym wynalazcą) nie zależało na ich powstaniu. W każdym razie w tamtych czasach pewnie uważano Leonarda za wariata. A przecież dziś nikt nie ma wąt-

Ochraniacz psich uszu, 1980 patent numer US4233942

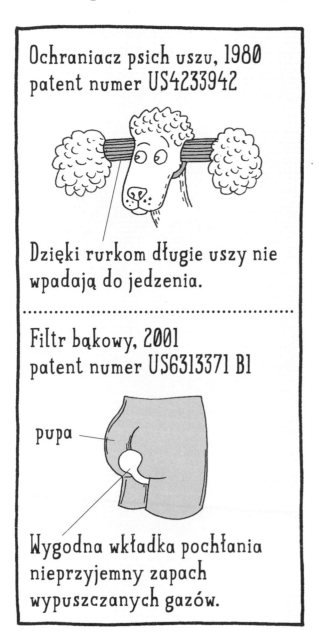

Dzięki rurkom długie uszy nie wpadają do jedzenia.

Filtr bąkowy, 2001 patent numer US6313371 B1

pupa

Wygodna wkładka pochłania nieprzyjemny zapach wypuszczanych gazów.

Nawilżacz znaczków pocztowych, 1981 patent numer US4300473

Mokry język wyskakuje po naciśnięciu guzika.

Poduszka ze składaną parasolką, 2004 patent numer US6711769

pliwości, że jego dokonania są imponujące i że bardzo dużo mu zawdzięczamy! Co by było, gdyby się poddał, zanim zaczął?

W tej książce spotkacie wielu podobnych śmiałków. Będziecie ich podziwiać albo się z nich śmiać. Bo ich pomysły są czasem genialne, a czasem zabawne. Ale zawsze świadczą o kreatywności, pasji i wytrwałości. Pomyślcie, jaki świat byłby nudny, gdyby brakowało takich ludzi! No i czy wynaleziono by cokolwiek z tych wszystkich rzeczy, z których na co dzień korzystamy?

A może i wam uda się coś wynaleźć? Wtedy biegnijcie do urzędu patentowego. Tam urzędnicy oceniają wynalazki. I wcale nie muszą one mieć przełomowego znaczenia (nieważne, czy będzie to mechaniczna zabawka, czy rakieta pasażerska). Muszą tylko być w pełni oryginalne, działać i nadawać się do wy-produkowania. Jeśli tak jest, wynalazcy zostaje przyznany patent, czyli prawo do wyłącznego korzystania z wynalazku przez określony czas (w Polsce to 20 lat). Autor może swój wynalazek produkować, sprzedać albo udostępnić innym. Gdy upłynie termin ochrony patentowej, z pomysłu wolno korzystać wszystkim. Tak dokonuje się postęp.

URZĄD PATENTOWY

Starożytna fotokomórka

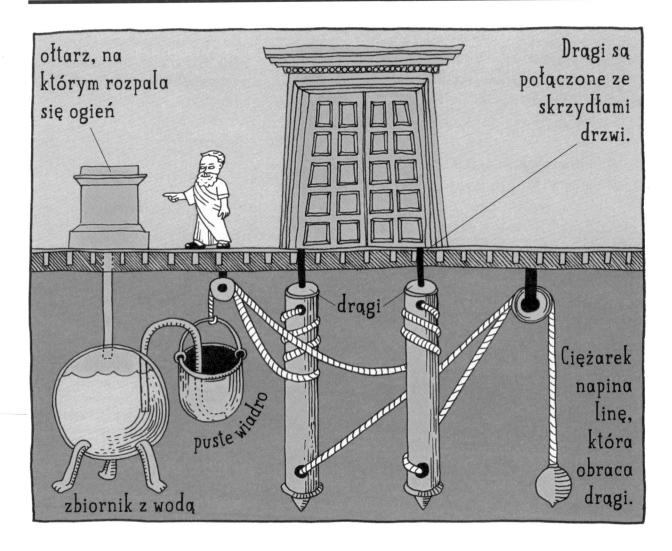

ołtarz, na którym rozpala się ogień

Drągi są połączone ze skrzydłami drzwi.

drągi

puste wiadro

zbiornik z wodą

Ciężarek napina linę, która obraca drągi.

Otwierające się przed nami drzwi nikogo dziś nie dziwią – spotyka się je w sklepach i urzędach, na dworcach i lotniskach. I wcale nie przychodzi nam do głowy, że to sprawka sił nadprzyrodzonych. Wiadomo – fotokomórka.

Ale 2000 lat temu sztuczki z samootwierającymi się wrotami zachwycały i przerażały. Ludzie byli gotowi uwierzyć, że podwoje świątyni otwiera niewidzialne bóstwo, wezwane przez kapłana. Tymczasem starożytny automat wymyślił, a potem opisał Heron z Aleksandrii – grecki matematyk, fizyk, wynalazca i konstruktor.

Wiadro z wodą, dwa drągi i parę metrów liny – oto cała tajemnica starożytnego kapłana i bóstwa-odźwiernego.

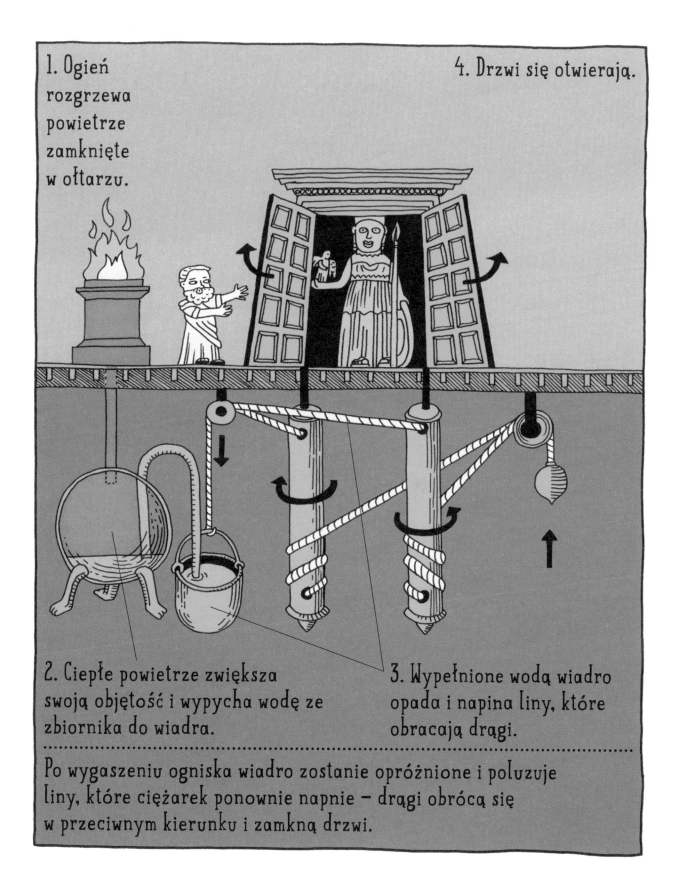

1. Ogień rozgrzewa powietrze zamknięte w ołtarzu.

4. Drzwi się otwierają.

2. Ciepłe powietrze zwiększa swoją objętość i wypycha wodę ze zbiornika do wiadra.

3. Wypełnione wodą wiadro opada i napina liny, które obracają drągi.

Po wygaszeniu ogniska wiadro zostanie opróżnione i poluzuje liny, które ciężarek ponownie napnie – drągi obrócą się w przeciwnym kierunku i zamkną drzwi.

9

Smok z załogą

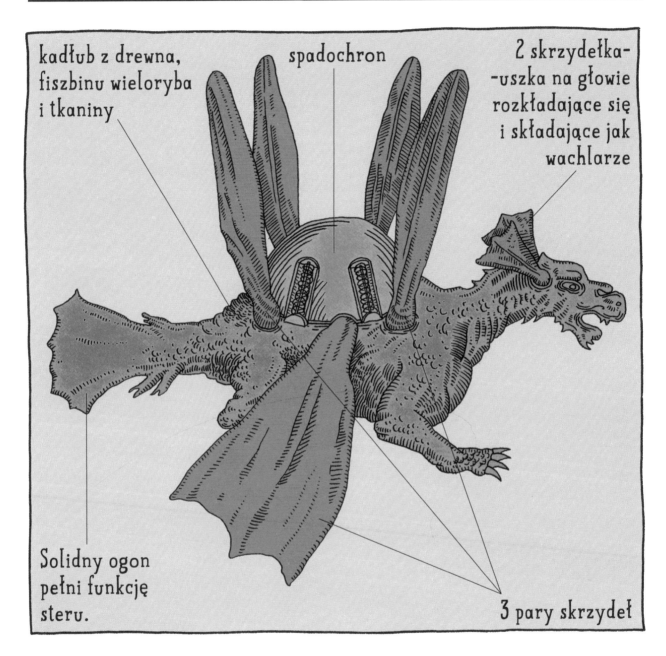

kadłub z drewna, fiszbinu wieloryba i tkaniny

spadochron

2 skrzydełka-uszka na głowie rozkładające się i składające jak wachlarze

Solidny ogon pełni funkcję steru.

3 pary skrzydeł

Dawno, dawno temu, w pewien mroźny lutowy poranek nad warszawskim Zamkiem Królewskim pojawił się smok. Nie, to nie bajka. Smok był prawdziwy, tyle że... mechaniczny. Miał około 1,5 metra długości (czyli niewiele jak na smoka) i napęd składający się z kół, dźwigni oraz sprężyn.

Skonstruował go Tytus Liwiusz Boratyni – włoski architekt i wynalazca mieszkający w Polsce. Smok był modelem o wiele większej i bardziej skompli-

kowanej machiny latającej, nad którą Boratyni dopiero pracował. A pokazowy lot został urządzony dla króla Władysława IV Wazy, by zareklamować władcy

Spadochron rozkłada się dzięki sprężynom.

Dwaj piloci za pomocą korby wprawiają w ruch mechanizm, który porusza skrzydłami.

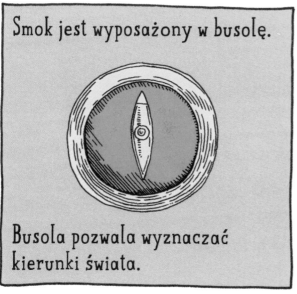

Smok jest wyposażony w busolę.

Busola pozwala wyznaczać kierunki świata.

pomysł i uzyskać z królewskiego skarbca 500 talarów (całkiem sporą sumę!) na jego realizację.

Pokaz z zastosowaniem prowizorycznego napędu i udziałem kota jako pasażera był udany. Niestety, podczas drugiego kursu coś nie zadziałało – i smok spadł z dużej wysokości. Konstruktor ani trochę się tym nie zraził i dalej pracował nad swoim wynalazkiem.

Ostateczna wersja smoka prawdopodobnie nie powstała. A nawet gdyby powstała, to i tak nie zdołałaby unieść się nad ziemię. Byłaby za ciężka.

15

Bąbelkowy SMS

Nadawca podłącza 2 druty do 2 wybranych liter.

Litera, przy której pojawia się mniej baniek, stoi w słowie przed literą z większą liczbą bąbli.

Odczytywanie wiadomości wysłanych za pomocą tego urządzenia przypominało praktyki czarnoksięskie. Oto ten, kto czeka na wiadomość, wpatruje się w bulgocącą michę i zapisuje pojawiające się w niej tajemnicze znaki. Dzieje się to jednak nie w pracowni czarnoksiężnika, tylko w urzędzie pocztowym na początku XIX wieku.

Na początku nadawca wysyła litery „B" i „C".

Bąble podnoszą ramię. Znajdująca się na nim kulka spada i uruchamia alarm, który powiadamia o nowej wiadomości.

Chodzi o wynalazek Samuela Sömmeringa – fizyka i lekarza pochodzącego z Torunia. Ponad 200 lat temu wymyślił on jedną z pierwszych i na pewno najdziwniejszych

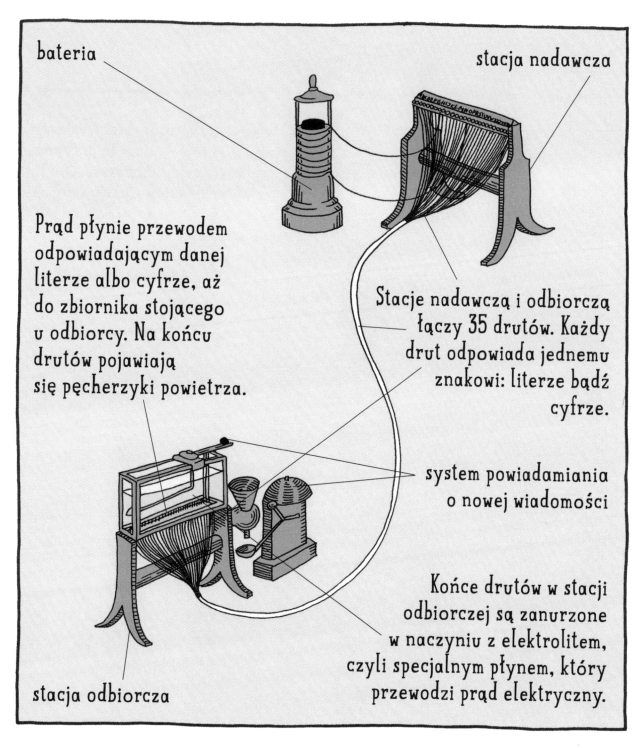

bateria

stacja nadawcza

Prąd płynie przewodem odpowiadającym danej literze albo cyfrze, aż do zbiornika stojącego u odbiorcy. Na końcu drutów pojawiają się pęcherzyki powietrza.

Stacje nadawczą i odbiorczą łączy 35 drutów. Każdy drut odpowiada jednemu znakowi: literze bądź cyfrze.

system powiadamiania o nowej wiadomości

Końce drutów w stacji odbiorczej są zanurzone w naczyniu z elektrolitem, czyli specjalnym płynem, który przewodzi prąd elektryczny.

stacja odbiorcza

metod porozumiewania się na odległość: telegraf elektrochemiczny. Wynalazek jednak nie zyskał uznania. Po pierwsze, nie sprawdzał się, gdy sta-

cja nadawcza i odbiorcza były od siebie za bardzo oddalone. Po drugie, odczytywanie wiadomości zajmowało zbyt dużo czasu.

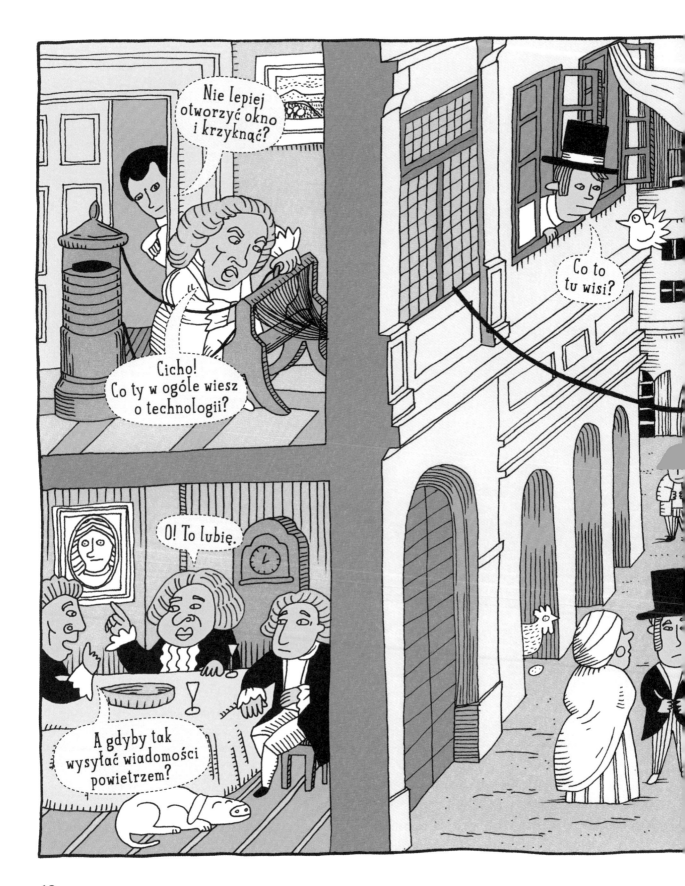

18

19

Kołowrotek podróżny

Połączenie diabelskiego młyna z gigantycznym kołowrotkiem dla chomika. Co to takiego? Ni mniej, ni więcej, tylko pojazd cesarza Maksymiliana I Habsburga.

przemieszczania się: toczący się wehikuł napędzany siłą ludzkich mięśni. Imponujący wynalazek cesarza na pewno budził podziw i grozę w poddanych. Tyle

Maksymilian marzył o wielkich procesjach z udziałem dziwacznych powozów. Niestety nie było go stać na prawdziwą paradę. Dlatego, aby poprawić sobie humor, zlecał Albrechtowi Dürerowi wykonywanie grafik ukazujących wyśnione pochody.

Ponad 500 lat temu władał on połową Europy, często podróżował – i najwyraźniej znudziła mu się kareta zaprzężona w konie. Wymyślił więc własny sposób

że był niepraktyczny. I może dlatego się nie przyjął. Zresztą, nie wiadomo, czy w ogóle został zbudowany. Znamy go tylko z rysunku wykonanego przez wybit-

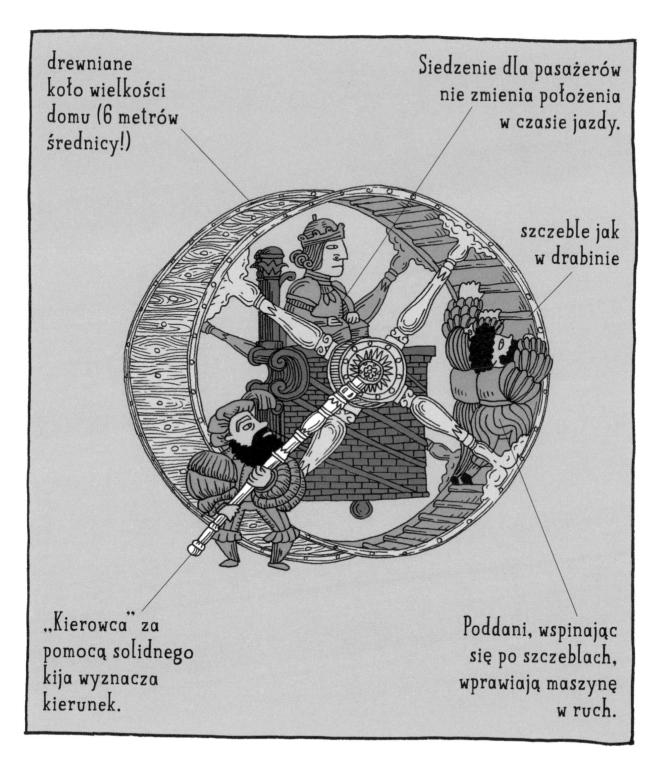

drewniane
koło wielkości
domu (6 metrów
średnicy!)

Siedzenie dla pasażerów
nie zmienia położenia
w czasie jazdy.

szczeble jak
w drabinie

„Kierowca” za
pomocą solidnego
kija wyznacza
kierunek.

Poddani, wspinając
się po szczeblach,
wprawiają maszynę
w ruch.

nego artystę tamtych czasów – Albrechta Dürera.
Wyobraźcie sobie taki pojazd dziś na autostradzie – jak gładko się toczy. Mama siedzi w fotelu, tata prowadzi, dzieci harcują na drabinie jak chomiki. I nie ma mowy o nudzie w podróży!

23

Mechaniczny szachista

Maszyny grające w szachy to żadna nowość. Deep Blue – komputer stworzony przez firmę IBM, który w latach 90. XX wieku ograł szachowego mistrza

twórca, węgierski konstruktor i filozof Wolfgang von Kempelen, po raz pierwszy zaprezentował go na dworze Marii Teresy, królowej Czech i Węgier. I od razu

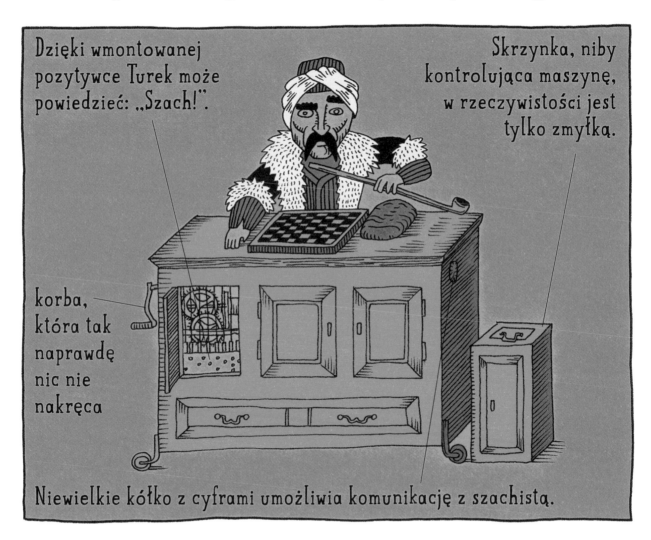

Dzięki wmontowanej pozytywce Turek może powiedzieć: „Szach!".

Skrzynka, niby kontrolująca maszynę, w rzeczywistości jest tylko zmyłką.

korba, która tak naprawdę nic nie nakręca

Niewielkie kółko z cyframi umożliwia komunikację z szachistą.

świata Garriego Kasparowa – miał poprzednika już w XVIII wieku. Był nim cieszący się w ówczesnej Europie ogromną popularnością Turek Szachista. Jego

został okrzyknięty największym wynalazcą w królestwie.

Kempelen, a potem jego następcy obwozili Turka Szachistę po Europie i zachwalali jako myślący mechanizm. Wszyscy miłośnicy szachów (nawet sam Napoleon Bonaparte) chcieli się z nim zmierzyć, bo uchodził za niepokonanego.

perfekcyjnie wymyślony. Ale myśleć nie potrafił.

Sowicie opłacani mistrzowie szachowi nie zdradzali, jak naprawdę działa

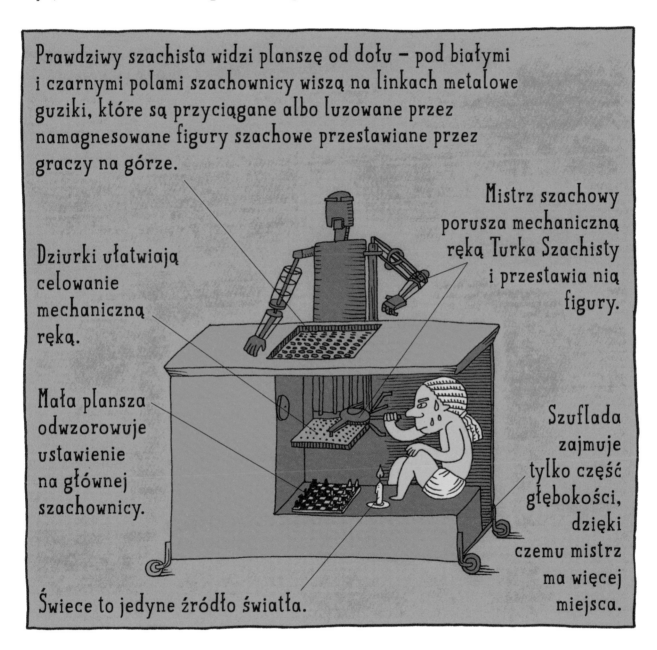

Prawdziwy szachista widzi planszę od dołu – pod białymi i czarnymi polami szachownicy wiszą na linkach metalowe guziki, które są przyciągane albo luzowane przez namagnesowane figury szachowe przestawiane przez graczy na górze.

Mistrz szachowy porusza mechaniczną ręką Turka Szachisty i przestawia nią figury.

Dziurki ułatwiają celowanie mechaniczną ręką.

Mała plansza odwzorowuje ustawienie na głównej szachownicy.

Szuflada zajmuje tylko część głębokości, dzięki czemu mistrz ma więcej miejsca.

Świece to jedyne źródło światła.

Stawali w zawody – i najczęściej przegrywali z kretesem. Z trzystu opisanych partii Turek Szachista poniósł porażkę w zaledwie sześciu. Rzeczywiście był

genialna maszyna. Ostatecznie jednak prawda wyszła na jaw. W 1834 roku oszustwo zdemaskowała i opisała jedna z francuskich gazet.

Ptak pasażerski

Ponad 300 lat temu portugalski król Jan V otrzymał od uczonego Bartolomeu de Gusmão, który właśnie przybył z Brazylii, niezwykle interesujący list. Zawierał on opis i rysunek machiny latającej, nazwanej Passarolą. Uczony prosił króla o sfinansowanie jej budowy i nadanie przywilejów, które były XVIII-wiecznymi odpowiednikami patentu. Nadawcy

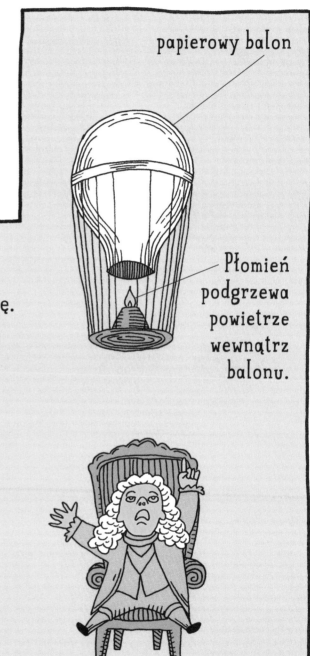

papierowy balon

Płomień podgrzewa powietrze wewnątrz balonu.

Zanim Bartolomeu rozpoczął prace nad statkiem powietrznym, przygotował dla króla prezentację. To dzięki niej domyślamy się, że Passarola miała być pierwszym balonem na ogrzane powietrze.

zależało, by utrzymać sprawę w ścisłej tajemnicy. Być może dlatego nie zdradził w liście wszystkich szczegółów – do dziś nie udało się ich poznać.

Król zgodził się bez wahania. Trudno się dziwić – Passarola to jeden z najpiękniejszych statków powietrznych, jakie kiedykolwiek wymyślono.

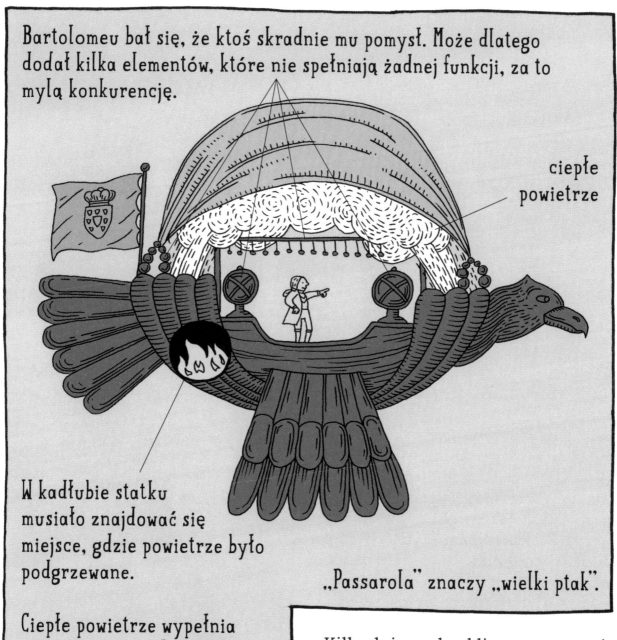

Bartolomeu bał się, że ktoś skradnie mu pomysł. Może dlatego dodał kilka elementów, które nie spełniają żadnej funkcji, za to mylą konkurencję.

ciepłe powietrze

W kadłubie statku musiało znajdować się miejsce, gdzie powietrze było podgrzewane.

Ciepłe powietrze wypełnia czaszę z materiału i unosi statek do góry.

„Passarola" znaczy „wielki ptak".

Kilka dni przed publiczną prezentacją Passaroli wynalazca odwołał pokaz. Z jakiego powodu? Nie wiadomo.

31

Osobisty zachmurzacz

Urządzenie do psucia pogody – po co to komu? A jednak może się przydać. Z powodu zanieczyszczenia środowiska warstwa ozonowa chroniąca Ziemię przed zbyt silnym działaniem promieni słonecznych staje się coraz cieńsza. Przez to Słońce coraz mocniej ogrzewa naszą planetę – i sprawia, że topnieją lodowce, podnosi się poziom wody w morzach i w ogóle zmienia się klimat.

Chmury są dla Ziemi jak parasol przeciwsłoneczny. Ale przecież nie zawsze pojawiają się na niebie. Na pomysł, jak temu zaradzić, wpadła Karolina Sobecka – artystka

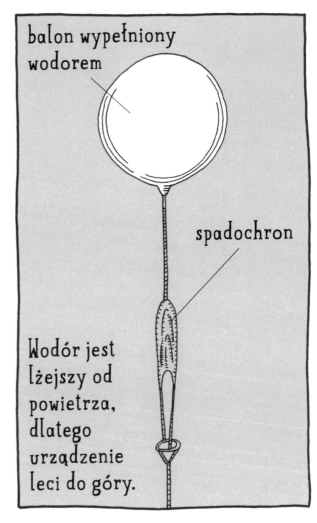

balon wypełniony wodorem

spadochron

Wodór jest lżejszy od powietrza, dlatego urządzenie leci do góry.

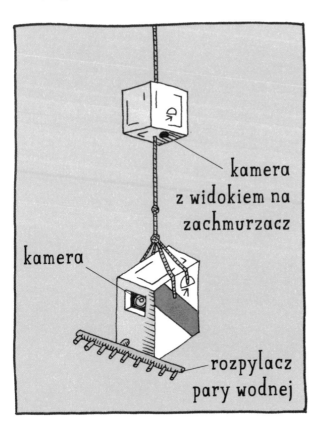

kamera z widokiem na zachmurzacz

kamera

rozpylacz pary wodnej

polskiego pochodzenia mieszkająca w Stanach Zjednoczonych. Zaprojektowała osobisty zachmurzacz. Teraz każdy, kto dba o Ziemię, może w pogodny dzień poratować ją chmurką.

Żeby jednak produkować porządne osłaniające Ziemię cirrusy, cumulusy i stratusy, artystka musi jeszcze trochę popracować nad swoim wynalazkiem.

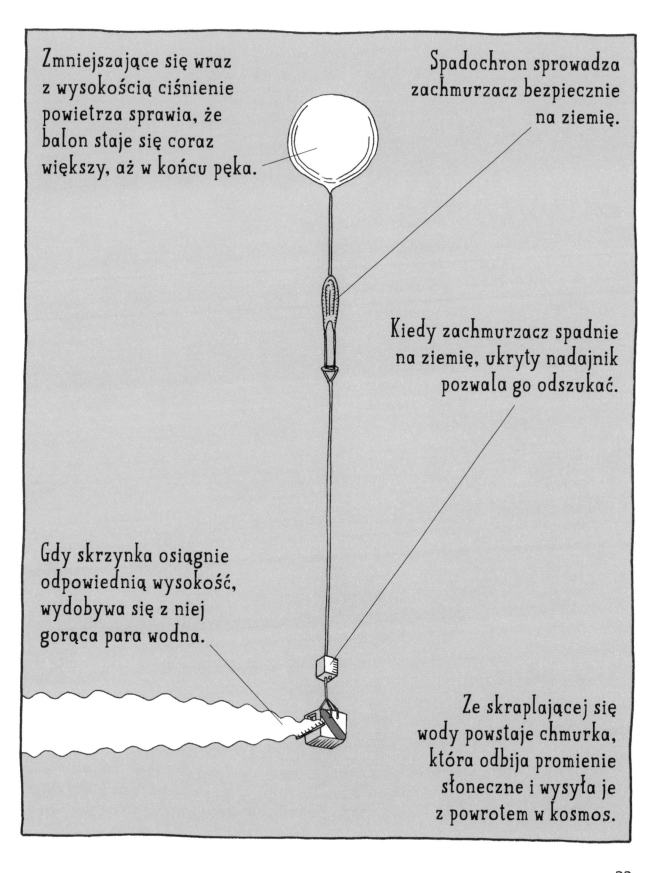

Zmniejszające się wraz z wysokością ciśnienie powietrza sprawia, że balon staje się coraz większy, aż w końcu pęka.

Spadochron sprowadza zachmurzacz bezpiecznie na ziemię.

Kiedy zachmurzacz spadnie na ziemię, ukryty nadajnik pozwala go odszukać.

Gdy skrzynka osiągnie odpowiednią wysokość, wydobywa się z niej gorąca para wodna.

Ze skraplającej się wody powstaje chmurka, która odbija promienie słoneczne i wysyła je z powrotem w kosmos.

Zegar na wodę

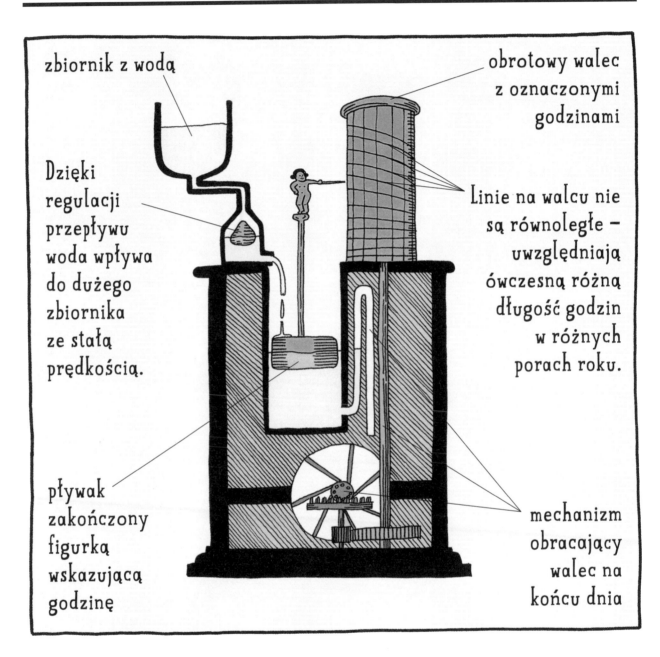

zbiornik z wodą

obrotowy walec z oznaczonymi godzinami

Dzięki regulacji przepływu woda wpływa do dużego zbiornika ze stałą prędkością.

Linie na walcu nie są równoległe – uwzględniają ówczesną różną długość godzin w różnych porach roku.

pływak zakończony figurką wskazującą godzinę

mechanizm obracający walec na końcu dnia

Mówi się, że czas płynie. Jak woda. I może to wcale nie jest przypadek? Bo już w starożytności używano zegarów wodnych, czyli takich, które odmierzały czas za pomocą przelewającej się wody. Tyle że te zegary nie były zbyt dokładne, bo nie udawało się znaleźć sposobu, żeby woda przelewała się naprawdę równomiernie.

Aż do akcji wkroczył Ktesibios – grecki wynalazca żyjący w Aleksandrii 2300 lat temu. Zbudował on skomplikowany zegar wodny, który działał bardzo precyzyjnie.

Wynalazek Ktesibiosa udoskonalano później różnymi „efektami specjalnymi". Wznoszący się pływak uruchamiał mechanizmy, które poruszały figurka-

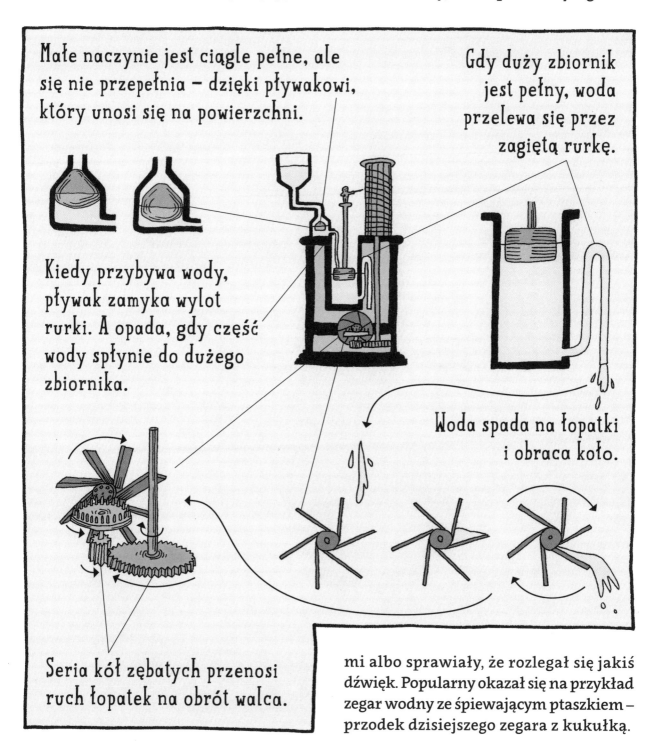

Małe naczynie jest ciągle pełne, ale się nie przepełnia – dzięki pływakowi, który unosi się na powierzchni.

Gdy duży zbiornik jest pełny, woda przelewa się przez zagiętą rurkę.

Kiedy przybywa wody, pływak zamyka wylot rurki. A opada, gdy część wody spłynie do dużego zbiornika.

Woda spada na łopatki i obraca koło.

Seria kół zębatych przenosi ruch łopatek na obrót walca.

mi albo sprawiały, że rozlegał się jakiś dźwięk. Popularny okazał się na przykład zegar wodny ze śpiewającym ptaszkiem – przodek dzisiejszego zegara z kukułką.

39

Żaglowóz

Na początku XVII wieku po wietrznej plaży nad Morzem Północnym na terenie dzisiejszej Holandii można było przejechać się żaglowozem, czyli połączeniem żaglowca i powozu. Skonstruował go na zamówienie księcia Maurycego Orańskiego flamandzki konstruktor i matematyk Simon Stevin, jeden z najgenialniejszych uczonych tamtych czasów.

Był to pierwszy w historii pojazd lądowy napędzany siłami natury (wiatrem), a nie ciągnięty przez konie. Na dodatek poruszał się z zawrotną jak na tamte czasy prędkością 50 kilometrów na godzinę, a więc prawie trzy razy szybciej niż konny dyliżans.

Pierwsza próba była nieudana – żaglowóz przewrócił się od silnego podmuchu

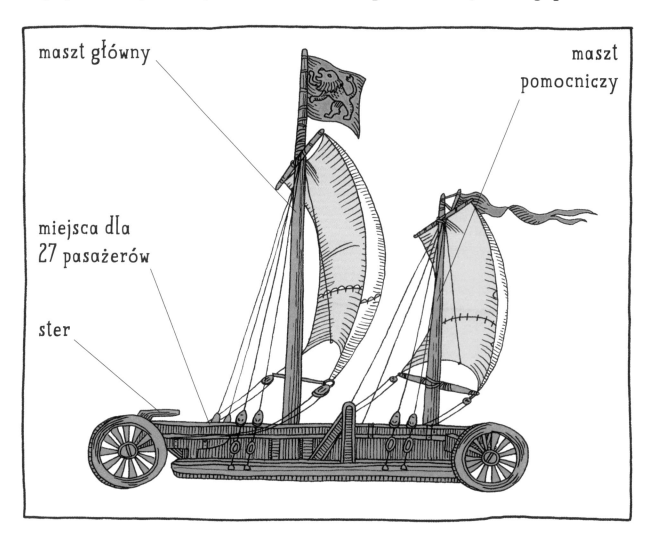

maszt główny

maszt pomocniczy

miejsca dla 27 pasażerów

ster

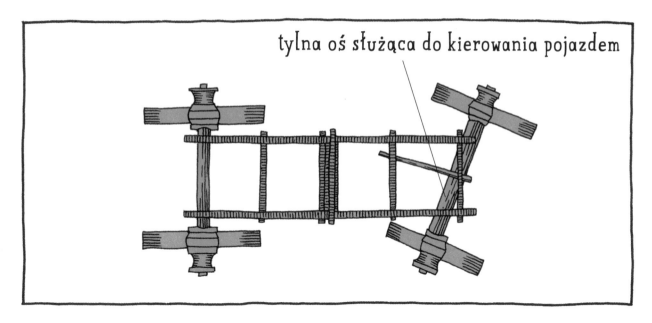

tylna oś służąca do kierowania pojazdem

wiatru. Dlatego konstruktor zwiększył balast, to znaczy obciążył pojazd tak, żeby zapewnić mu lepszą równowagę. Po tej drobnej poprawce uruchomiono regularne połączenia żaglowozowe plażą pomiędzy dwoma nadmorskimi miejscowościami. Podróż w jedną stronę trwała około 2 godzin.

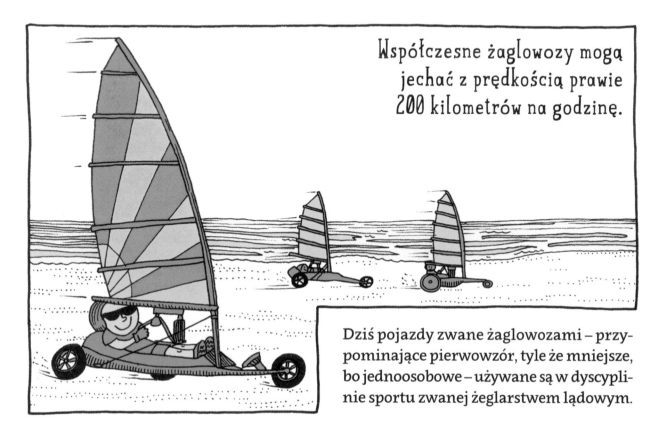

Współczesne żaglowozy mogą jechać z prędkością prawie 200 kilometrów na godzinę.

Dziś pojazdy zwane żaglowozami – przypominające pierwowzór, tyle że mniejsze, bo jednoosobowe – używane są w dyscyplinie sportu zwanej żeglarstwem lądowym.

Prąd bez kabli

Wariat czy geniusz? Spór o to, kim był Nikola Tesla, trwa. Ten serbski wynalazca, który działał na przełomie XIX i XX wieku głównie w Stanach Zjednoczonych, opatentował aż 125 wynalazków i twierdził, że udało mu się nawiązać kontakt z kosmitami.

Najbardziej niesamowita była jego tajemnicza wizja wolnej energii. Tesla twierdził, że wie, jak naładować kulę ziemską prądem, z którego będzie można korzystać wszędzie i za darmo. Bez gniazdek i kabli – wprost z ziemi. Do dziś nie bardzo wiemy, o co w tym wszystkim chodziło, a notatki wynalazcy po jego śmierci ponoć zaginęły...

Skonstruowany przez siebie nadajnik przetestował dwukrotnie w obecności

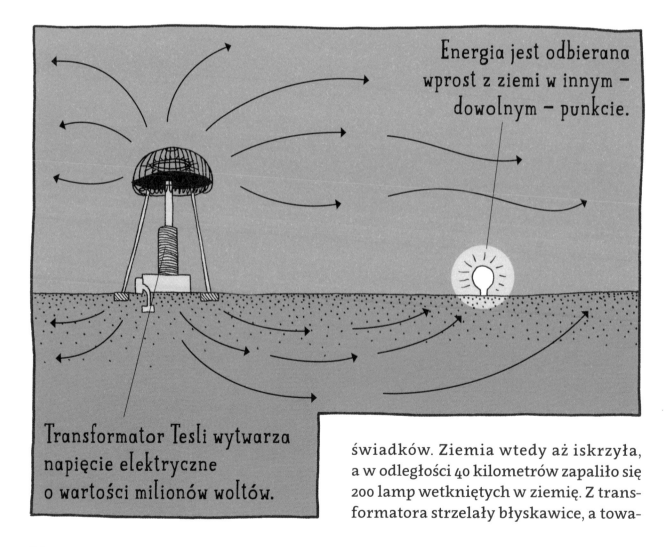

Energia jest odbierana wprost z ziemi w innym – dowolnym – punkcie.

Transformator Tesli wytwarza napięcie elektryczne o wartości milionów woltów.

świadków. Ziemia wtedy aż iskrzyła, a w odległości 40 kilometrów zapaliło się 200 lamp wetkniętych w ziemię. Z transformatora strzelały błyskawice, a towa-

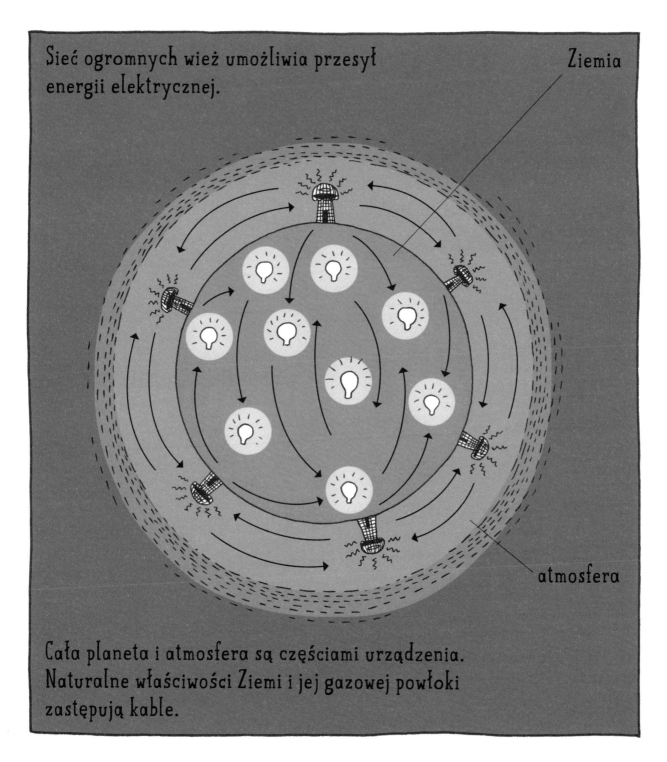

Sieć ogromnych wież umożliwia przesył energii elektrycznej.

Ziemia

atmosfera

Cała planeta i atmosfera są częściami urządzenia. Naturalne właściwości Ziemi i jej gazowej powłoki zastępują kable.

rzyszący temu huk słyszano w miasteczku oddalonym o 20 kilometrów.
Pod koniec życia Teslę okrzyknięto szaleńcem i pozbawiono możliwości dalszych badań. Wynalazca umarł w biedzie. Albo – jak twierdzą niektórzy – wyruszył w podróż swoim ostatnim wielkim wynalazkiem: wehikułem czasu.

Koń parowy

Kabinę zaprojektowano tak, by maszynista mógł sprawnie prowadzić pojazd i wykonywać obowiązki konduktorskie (np. zbierać opłaty).

Dzięki umieszczonej z przodu latarence pojazd widać w nocy.

Tu doczepia się wagon dla podróżnych.

W XIX wieku na drogach – obok omnibusów, czyli zaprzężonych w konie poprzedników autobusów – zaczęły się pojawiać podobne pojazdy, tyle że z napędem parowym. Pozwalały one podróżować szybciej i taniej, mimo to przyjmowano je z niechęcią. Bo buchając parą, płoszyły konie i drażniły psy. Co wrażliwsze damy na ich widok mdlały, a wystraszone dzieci podobno zapadały na różne choroby. Twierdzono nawet, że przez te piekielne maszyny

zrażali. Rozwiązanie problemu zaproponował amerykański wynalazca – Sebra R. Mathewson. Wymyślił napędzany parą pojazd o wyglądzie konnego zaprzęgu.

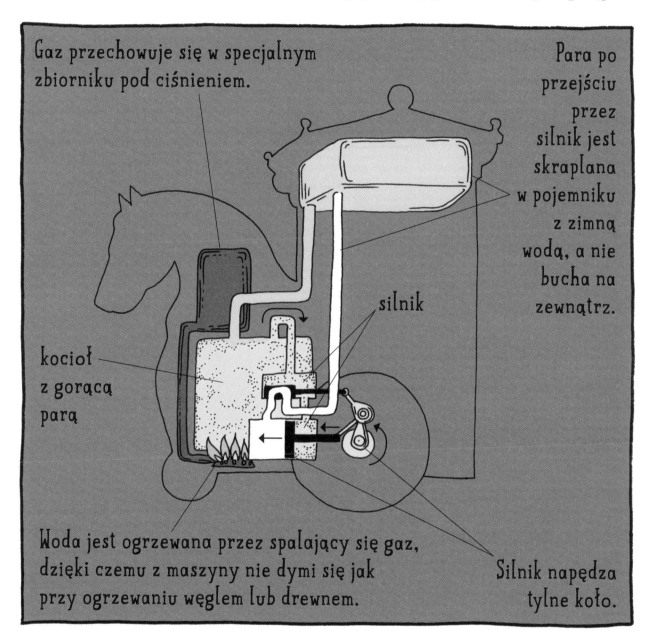

Gaz przechowuje się w specjalnym zbiorniku pod ciśnieniem.

Para po przejściu przez silnik jest skraplana w pojemniku z zimną wodą, a nie bucha na zewnątrz.

silnik

kocioł z gorącą parą

Woda jest ogrzewana przez spalający się gaz, dzięki czemu z maszyny nie dymi się jak przy ogrzewaniu węglem lub drewnem.

Silnik napędza tylne koło.

krowy przestają dawać mleko, a kury – znosić jaja!
Ale ci, którzy chcieli iść – a właściwie jechać! – z duchem czasu, wcale się tym nie

Koń na parę miał idealnie wtopić się w krajobraz XIX-wiecznego miasta. Dziś pięknie by pasował do... wesołego miasteczka.

50

Rower do biegania

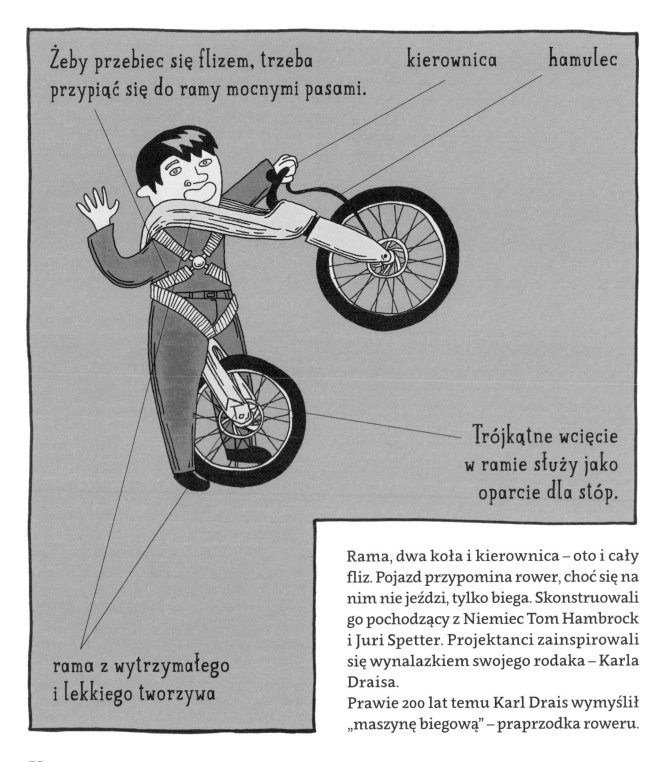

Żeby przebiec się flizem, trzeba
przypiąć się do ramy mocnymi pasami.

kierownica

hamulec

Trójkątne wcięcie
w ramie służy jako
oparcie dla stóp.

rama z wytrzymałego
i lekkiego tworzywa

Rama, dwa koła i kierownica – oto i cały
fliz. Pojazd przypomina rower, choć się na
nim nie jeździ, tylko biega. Skonstruowali
go pochodzący z Niemiec Tom Hambrock
i Juri Spetter. Projektanci zainspirowali
się wynalazkiem swojego rodaka – Karla
Draisa.
Prawie 200 lat temu Karl Drais wymyślił
„maszynę biegową” – praprzodka roweru.

MASZYNA BIEGOWA Z 1817 ROKU

Nowością był obrotowy widelec, który umożliwiał kierowanie.

ROZPĘDZONY FLIZ

Miała ona dwa koła połączone ramą, kierownicę i siodełko. Cyklista wprawiał ją w ruch, odpychając się od ziemi nogami. Fliz działa podobnie.

Można jechać i biec jednocześnie, a nawet... Jeśli się dobrze rozpędzić i unieść nogi, ma się wrażenie, jakby się leciało!

54

Żaglówka balonowa

Wiadomo: powietrze ma swój ciężar. Nadmuchany balon opada, ponieważ waży tyle, ile guma, z której go zrobiono, i powietrze w jego wnętrzu. By się unosił, trzeba wypełnić go czymś lżejszym od powietrza. Na przykład ogrzanym powietrzem, które ma mniejszą gęstość, a więc i mniejszą wagę, niż powietrze chłodne. Albo helem – gazem lżejszym od powietrza. Tak samo jest z balonami do latania. Tyle że pierwsze modele balonów wypełnionych gorącym powietrzem pojawiły się dopiero w XVIII wieku, a hel odkryto w XIX wieku.

Francesco Lana de Terzi – włoski matematyk i fizyk, który żył w XVII wieku – nie znał tych rozwiązań. Więc inaczej kombinował, jak zbudować coś superlekkiego i spełnić swoje marzenie o podniebnych podróżach. Aż wpadł na szalony pomysł: wymyślił aerostat, czyli statek latający lżejszy od powietrza.

Świetny plan! Niestety, niemożliwy do zrealizowania. Dlaczego? Blacha miedziana, z której wynalazca chciał wykonać kule, by się nie sprawdziła. Zresztą do dziś nie znamy materiału, który byłby odpowiedni do wykonania kulistych olbrzymów: wystarczająco szczelny, żeby dało się z nich odessać całe powietrze, wystarczająco lekki, żeby się uniosły, i wreszcie wystarczająco sztywny, żeby ciśnienie powietrza z zewnątrz ich nie zdusiło.

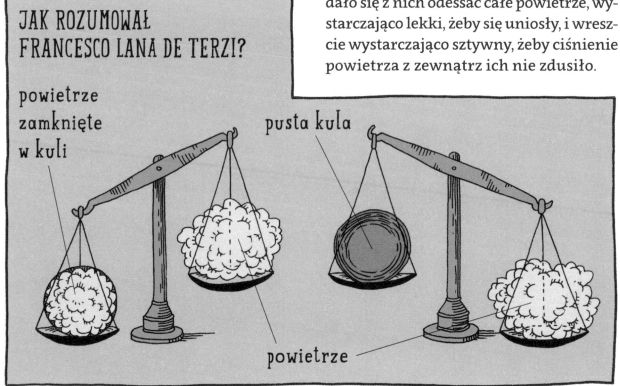

JAK ROZUMOWAŁ
FRANCESCO LANA DE TERZI?

powietrze zamknięte w kuli

pusta kula

powietrze

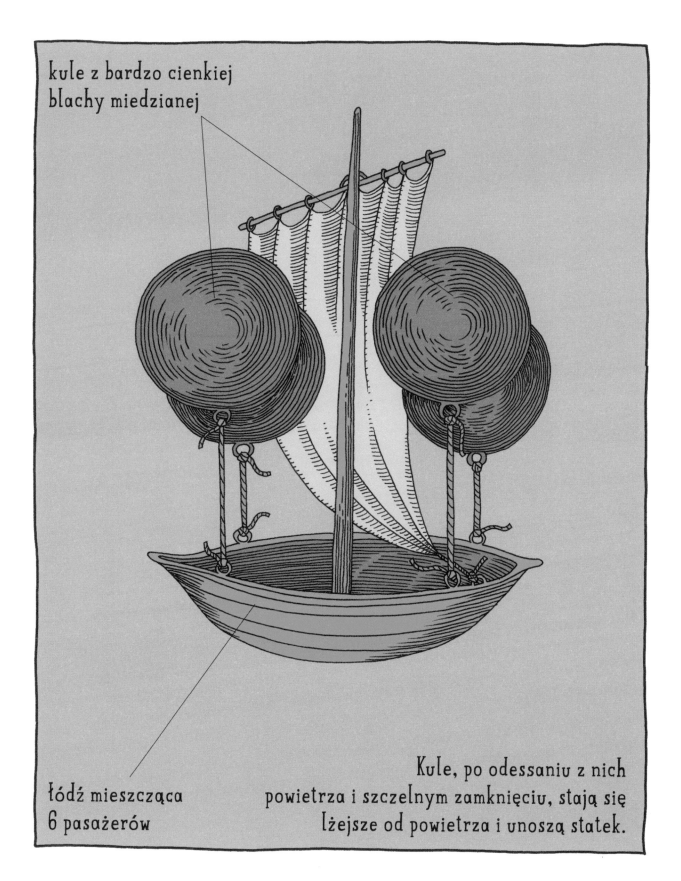

kule z bardzo cienkiej
blachy miedzianej

łódź mieszcząca
6 pasażerów

Kule, po odessaniu z nich
powietrza i szczelnym zamknięciu, stają się
lżejsze od powietrza i unoszą statek.

Tylko ludzie mogą chcieć zamienić coś do pływania na coś do latania.

Skupiacz uwagi

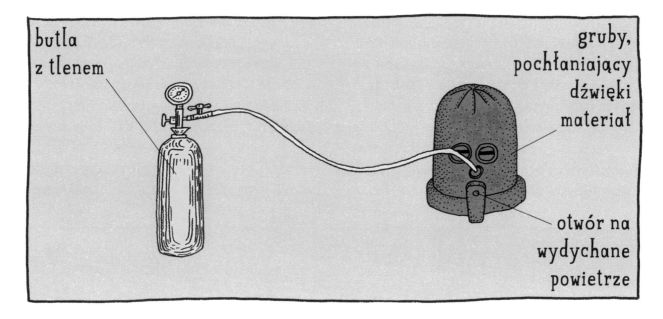

butla
z tlenem

gruby,
pochłaniający
dźwięki
materiał

otwór na
wydychane
powietrze

Pewien mieszkający w Ameryce autor powieści science fiction i konstruktor, Hugo Gernsback, był szalenie twórczy. Opatentował ponad 80 wynalazków.

Niektóre z nich wydają się dziś śmieszne, na przykład aparat do nauki podczas snu czy maszyna do kontaktowania się z istotami pozaziemskimi.

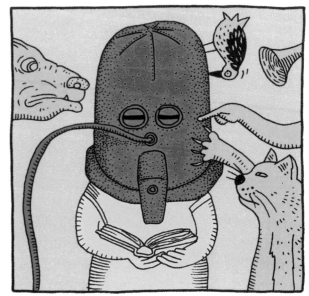

Wpadało mu do głowy tysiąc pomysłów na minutę. Musiał się skupić, żeby je wszystkie spisać. Wymyślił więc izolator – hełm chroniący przed wszystkim, z kuchni, wpadające przez okno światło – wszystko miało zniknąć po włożeniu izolatora. Urządzenie jednak prawdopodobnie nigdy nie powstało. Znamy je

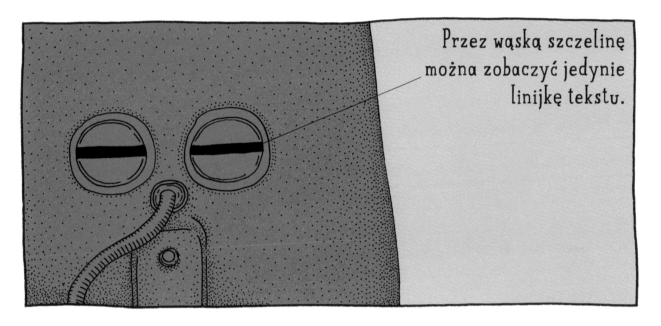

Przez wąską szczelinę można zobaczyć jedynie linijkę tekstu.

co może rozpraszać uwagę czytającego albo piszącego człowieka.

Hałas z ulicy, dzwonek do drzwi, szczekanie psa, zapach obiadu rozchodzący się tylko z ilustracji zamieszczonej w wydawanym wówczas czasopiśmie „Science and Invention", które opisywało wynalazki i odkrycia.

63

Jaskółka terenowa

PIERWSZE PRÓBY

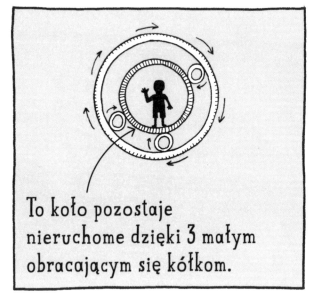

To koło pozostaje nieruchome dzięki 3 małym obracającym się kółkom.

Pod koniec XIX wieku jeździło się nie po gładkim asfalcie, tylko po bitych traktach, zwykle pełnych wybojów. Do tego sieć dróg nie była zbyt rozbudowana – czasem, by gdzieś dotrzeć, podróżny musiał pokonać prawdziwe wertepy.

Polski inżynier Stanisław Barycki uparł się, że będzie się przemieszczał wygodnie i bez żadnych ograniczeń. Wytrwale pracował nad pierwszą w historii terenówką. Pojazd – nazwany jaskółką – miał bez trudu radzić sobie ze wszystkimi przeszkodami na trasie, nawet jeśli prowadziła ona przez bezdroża. Wynalazca zaprezentował go na wystawie sportowej w Berlinie w 1883 roku.

Kłopot w tym, że inżynierowi nie udało się wymyślić odpowiedniego napędu dla

NIEUDANA JAZDA Z ŻAGLEM

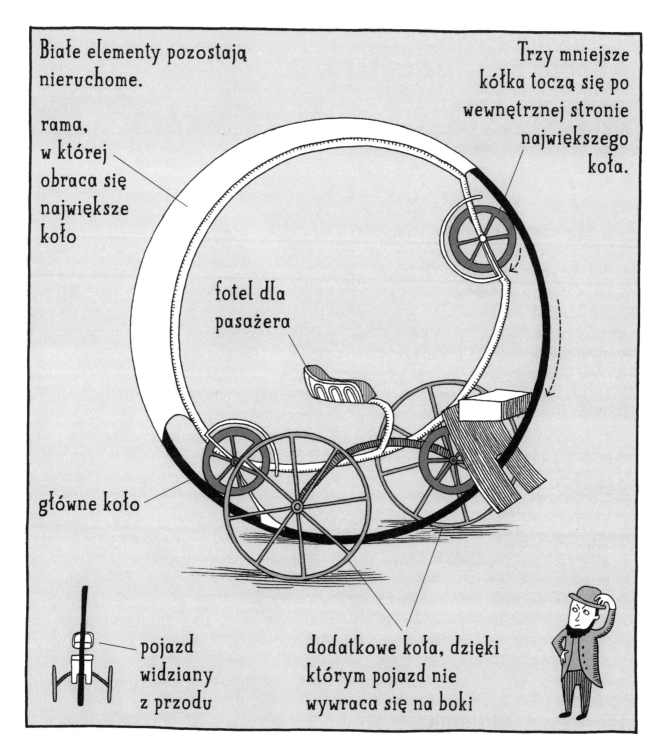

Białe elementy pozostają nieruchome.

rama, w której obraca się największe koło

Trzy mniejsze kółka toczą się po wewnętrznej stronie największego koła.

fotel dla pasażera

główne koło

pojazd widziany z przodu

dodatkowe koła, dzięki którym pojazd nie wywraca się na boki

jaskółki. Próbował zastosować pedały, a nawet żagiel – niestety bez sukcesu. Na eksperymenty wydał cały swój majątek, mimo to nie ukończył pracy. A jego terenowy wehikuł ciągnięty przez konia zachował się jedynie na ilustracji w ukazującym się wówczas czasopiśmie „Tygodnik Ilustrowany".

Bieżnia z prądem

„Jogging to samo zdrowie, tylko żal tracić energię, którą się przy okazji wytwarza!" – rozmyślał Nadim Inaty, młody libański projektant, przyglądając się biegaczom na nadmorskiej promenadzie w Bejrucie. Aż wykombinował, jak zamienić wysiłek poruszającego się człowieka w prąd niezbędny do zasilania

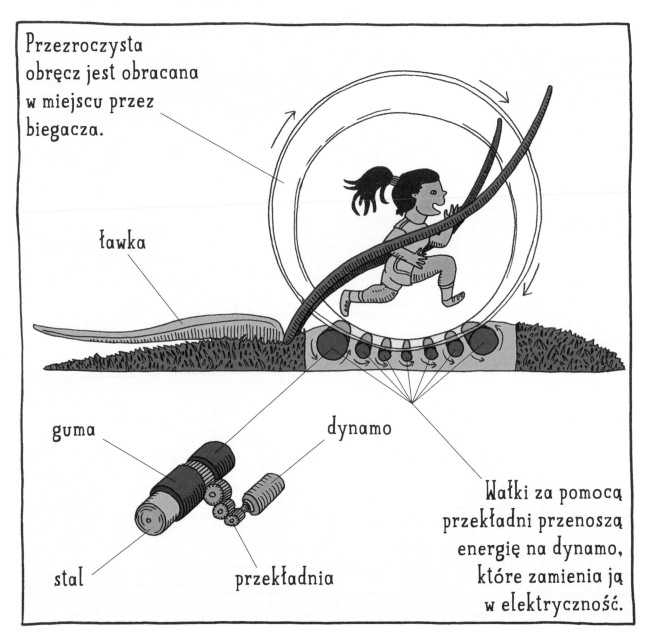

Przezroczysta obręcz jest obracana w miejscu przez biegacza.

ławka

guma

dynamo

stal

przekładnia

Wałki za pomocą przekładni przenoszą energię na dynamo, które zamienia ją w elektryczność.

rozmaitych urządzeń. Tak powstało Zielone Koło.

Inaty obliczył, że wystarczy 30-minutowy wysiłek, by wytworzyć prąd potrzebny do działania żarówki energooszczędnej przez 5 godzin, używania laptopa przez 2 godziny lub naładowania komórki 12 razy! A jeśliby połączyć energię wytwarzaną przez kilkanaście kół, można by nią zasilać miejskie latarnie albo sygnalizację świetlną.

Najważniejsze, że wytwarzając prąd w ten sposób, nie zanieczyszcza się środowiska, a na dodatek ma się go zupełnie za darmo! A gdyby tak szkolne korytarze wyposażyć w podobne urządzenia? Tyle energii marnuje się codziennie na przerwach...

Podniesione poręcze blokują obręcz, dzięki czemu można bezpiecznie przygotować się do biegu.

W czasie treningu poręcze chronią przed wypadnięciem z obręczy.

Rozpędzoną obręcz można zatrzymać przez opuszczenie poręczy.

Ptasia kamizelka

Dedal i Ikar, bohaterowie greckiego mitu, nieźle namieszali ludziom w głowach! Ci dwaj śmiałkowie wzbili się w niebo na własnoręcznie zrobionych skrzydłach. I do dziś co jakiś czas ktoś próbuje powtórzyć ich wyczyn.

Wśród odważnych znalazł się Reuben Jasper Spalding ze Stanów Zjednoczonych. Pod koniec XIX wieku opatentował ornitopter, czyli machinę latającą, której napędem są skrzydła przytwierdzone do ramion. Była to udoskonalona wersja ornitoptera znanego z wcześniejszego o 400 lat szkicu Leonarda da Vinci.

Leonardo da Vinci

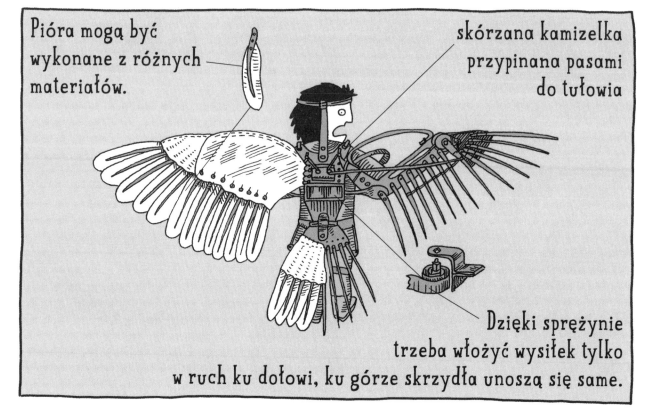

Pióra mogą być wykonane z różnych materiałów.

skórzana kamizelka przypinana pasami do tułowia

Dzięki sprężynie trzeba włożyć wysiłek tylko w ruch ku dołowi, ku górze skrzydła unoszą się same.

Na rysunkach machina wygląda przekonująco. Za nic jednak nie uniosłaby się w powietrze. Ważyła co najmniej tyle, ile sam lecący – i już samo udźwignięcie jej na plecach stanowiło nie lada wyczyn! Mimo to wynalazca święcie wierzył, że poszybuje swoim ornitopterem pod chmury.

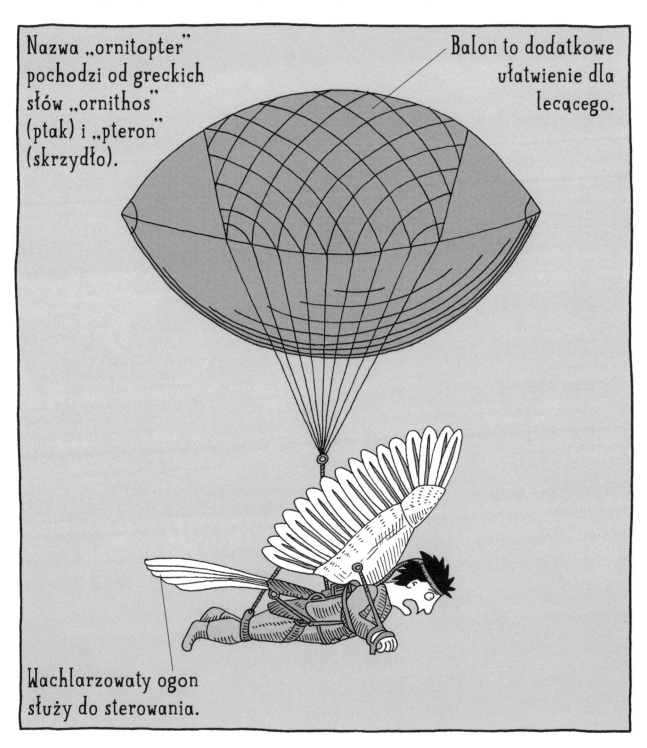

Nazwa „ornitopter" pochodzi od greckich słów „ornithos" (ptak) i „pteron" (skrzydło).

Balon to dodatkowe ułatwienie dla lecącego.

Wachlarzowaty ogon służy do sterowania.

Płonące zegary

OD OKOŁO III WIEKU PRZED NASZĄ ERĄ

Jak odmierzano czas, zanim wynaleziono zegary, którymi dziś się posługujemy? Od ponad 4500 lat wykorzystywano zjawiska przyrody: cień rzucany przez wskazówkę w słoneczny dzień (1), przelewającą się wodę (2) lub przesypujący się piasek (3).

Innym pomysłem były zegary ogniowe, które zaczęły pojawiać się w różnych częściach świata ponad 2000 lat temu. Trudno dokładnie określić, kiedy ten czy inny zegar ogniowy został skonstruowany po raz pierwszy, a jeszcze trudniej – kto go wymyślił.

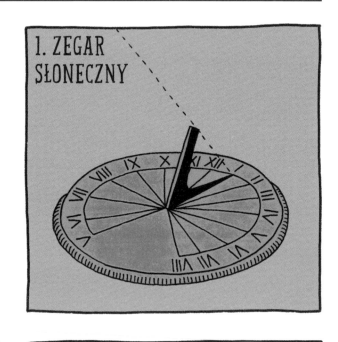

1. ZEGAR SŁONECZNY

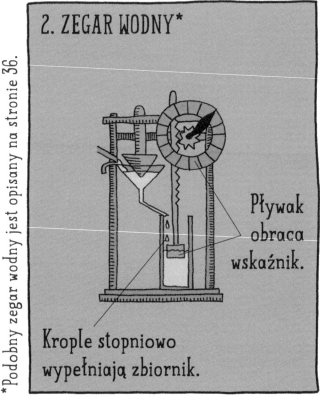

2. ZEGAR WODNY*

Pływak obraca wskaźnik.

Krople stopniowo wypełniają zbiornik.

*Podobny zegar wodny jest opisany na stronie 36.

3. KLEPSYDRA

Klepsydra to z greckiego „złodziej wody". Później wodę zastąpiono piaskiem.

ŚWIECA Z PODZIAŁKĄ

Każda część świecy odpowiada określonej porze dnia i przypisanym jej zajęciom. Podobno Alfred Wielki – angielski król z IX wieku – korzystał z takiego „zegara".

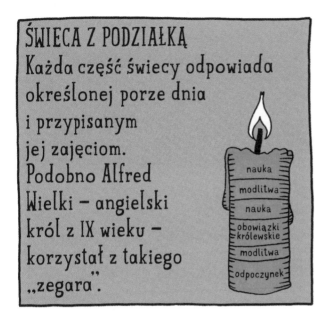

ŚWIECA ZAPACHOWA

To pomysł starożytnych Chińczyków.

Gdy spali się odpowiednia ilość mieszaniny, rozchodzi się zapach kadzidła.

ŚWIECA Z „BUDZIKIEM"

Kiedy stopi się odpowiednia ilość wosku lub łoju, wbity w świecę kawałek metalu spada z brzękiem na podstawkę.

ZEGAR LONTOWY

Ogień stopniowo przepala nitki, a zawieszone na nich kuleczki spadają i rozlega się dźwięk. To także pomysł Chińczyków.

ZEGAR KAGANKOWY

Używany w XV wieku. Oliwa wypala się, jej poziom opada i wskazuje czas na podziałce.

Budowa zegarów ogniowych była bardzo prosta. Zbyt dużo jednak kosztowały i niewygodnie się z nich korzystało (za każdym razem, gdy jeden się wypalił, trzeba było przygotować następny), dlatego wciąż szukano lepszych czasomierzy. Dzisiaj można dla zabawy odmierzać czas za pomocą świeczki – taki zegar łatwo sobie zrobić.

Odlotowy samochód

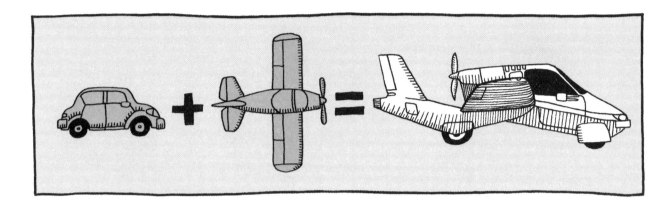

Marzenie wynalazców nareszcie się ziściło! Choć wygląda raczej jak ogromnych rozmiarów zabawka albo dzieło szalonego mechanika niż jak nowoczesna maszyna, to prawdziwy hit! Transition – pierwsza na świecie czterokołowa i dwuskrzydłowa maszyna jeżdżąco-latająca. Inaczej: samochód, którym można latać.

Pojazd stworzyli amerykańscy naukowcy, piloci i inżynierowie z firmy Terrafugia. W 2009 roku dopuszczono go do ruchu lotniczego, a w 2011 roku – do samochodowego.

Transition, startując z Gdańska z bakiem pełnym najzwyklejszej benzyny, w nieco więcej niż 3 godziny doleci – z prędkością dochodzącą do 185 kilo-

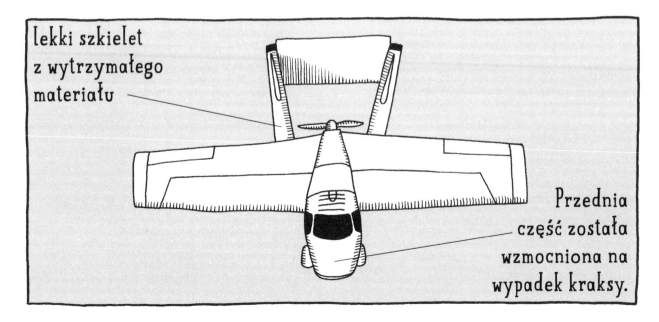

lekki szkielet z wytrzymałego materiału

Przednia część została wzmocniona na wypadek kraksy.

Przycisk na desce rozdzielczej pozwala w 30 sekund rozłożyć skrzydła.

W środku są miejsca dla 2 osób.

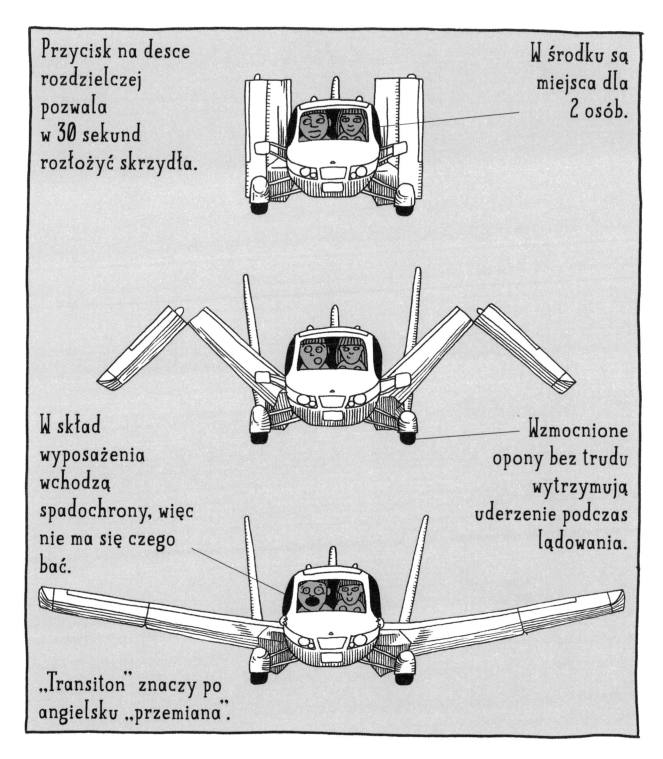

W skład wyposażenia wchodzą spadochrony, więc nie ma się czego bać.

Wzmocnione opony bez trudu wytrzymują uderzenie podczas lądowania.

„Transiton" znaczy po angielsku „przemiana".

metrów na godzinę – do Zakopanego. W międzyczasie wcale nie musi lądować. No, chyba że pilot zechce zrobić sobie przerwę i wpaść na obiad do ulubionego baru w Radomiu – wtedy może zostawić maszynę na parkingu w centrum miasta.

82

Chmura wycieczkowa

Obłok jest wypełniony helem, czyli gazem lżejszym od powietrza.

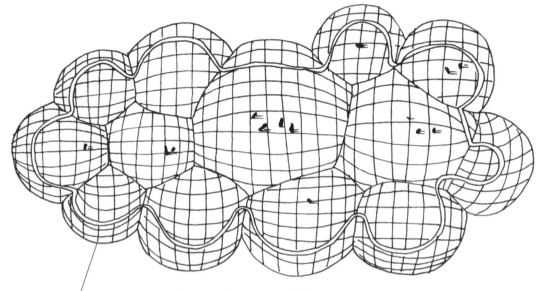

stalowy szkielet w kształcie chmury obleczony
wytrzymałą i elastyczną tkaniną nylonową

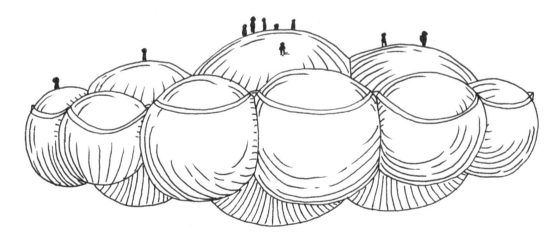

Kierunek, prędkość i cel wycieczki zależą od wiatru.

Podróż na chmurze. Bez rozkładu jazdy, bez biletu, a przede wszystkim bez celu. Jedynie kierunek i siła wiatru decydują o tym, gdzie i jak szybko dolecisz... Zdaje się, że nie tylko dzieciom zdarza się o tym marzyć. Najfajniejsze jest to, że teraz takie marzenie może się spełnić.

Tiago Barros, młody portugalski architekt mieszkający w Nowym Jorku, wpadł na zwariowany pomysł. Wymyślił chmurę do podróży w przestworzach. Obłok dotąd nie powstał, ale jego stworzenie jest możliwe.

W podróż na chmurze jako niezbędne wyposażenie trzeba by zabrać ciepłe kombinezony oraz maski i butle z tlenem. Bo na dużej wysokości panują niskie temperatury, a powietrze jest roz-

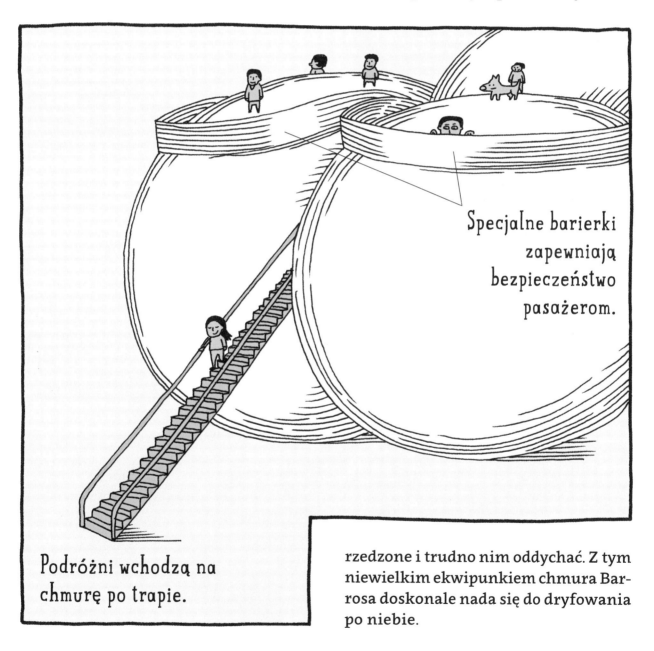

Specjalne barierki zapewniają bezpieczeństwo pasażerom.

Podróżni wchodzą na chmurę po trapie.

rzedzone i trudno nim oddychać. Z tym niewielkim ekwipunkiem chmura Barrosa doskonale nada się do dryfowania po niebie.

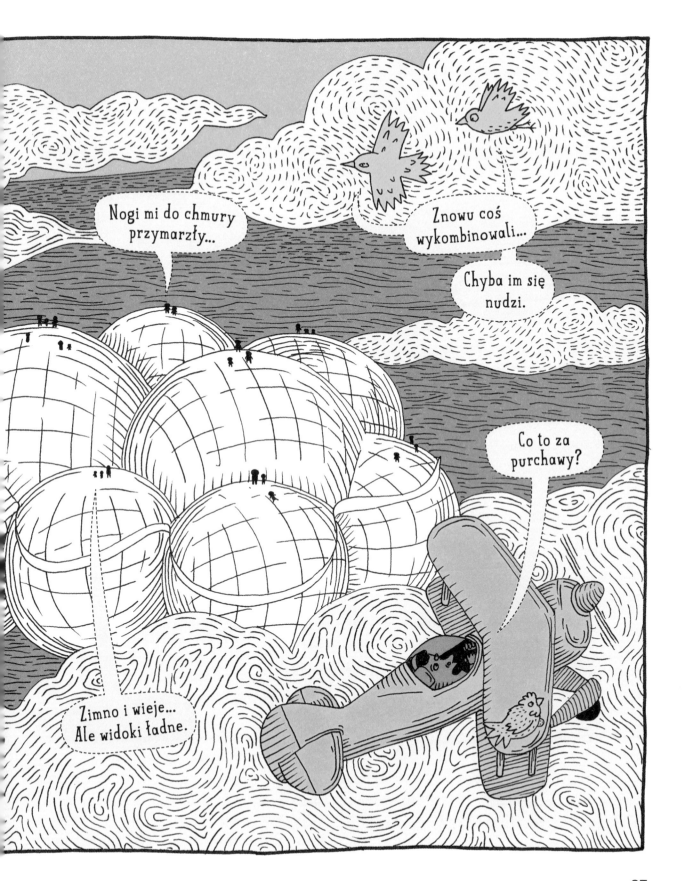

87

Latający rower

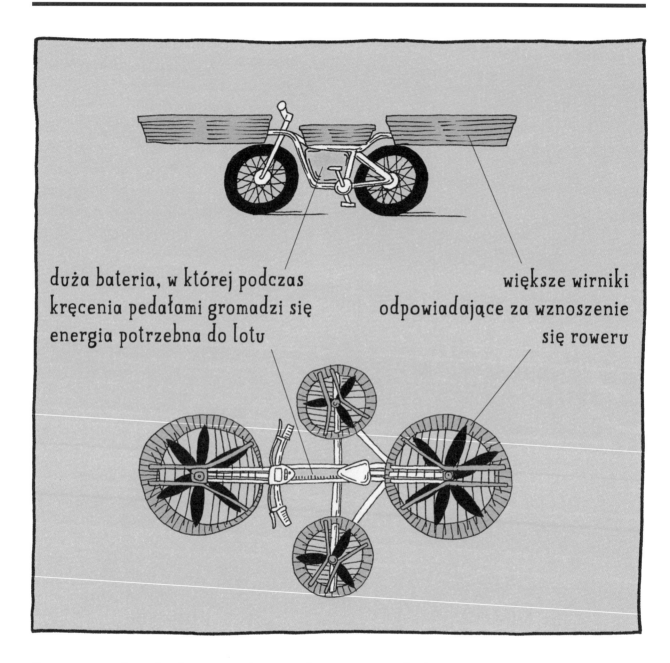

duża bateria, w której podczas kręcenia pedałami gromadzi się energia potrzebna do lotu

większe wirniki odpowiadające za wznoszenie się roweru

Czy to urządzenie do suszenia prania obsługiwane przez kolarza? A może ekologiczna wersja maszyny rolniczej do rozrzucania ziarna? Nie! To F-Bike – rower, który wznosi się w przestworza. Skonstruowało go siedmiu projektantów z Czech. Podczas pierwszego publicznego lotu za kierownicą siedział manekin.

Mniejsze wirniki utrzymują wehikuł w równowadze. Mogą też ustawiać się pionowo i pchać pojazd do przodu.

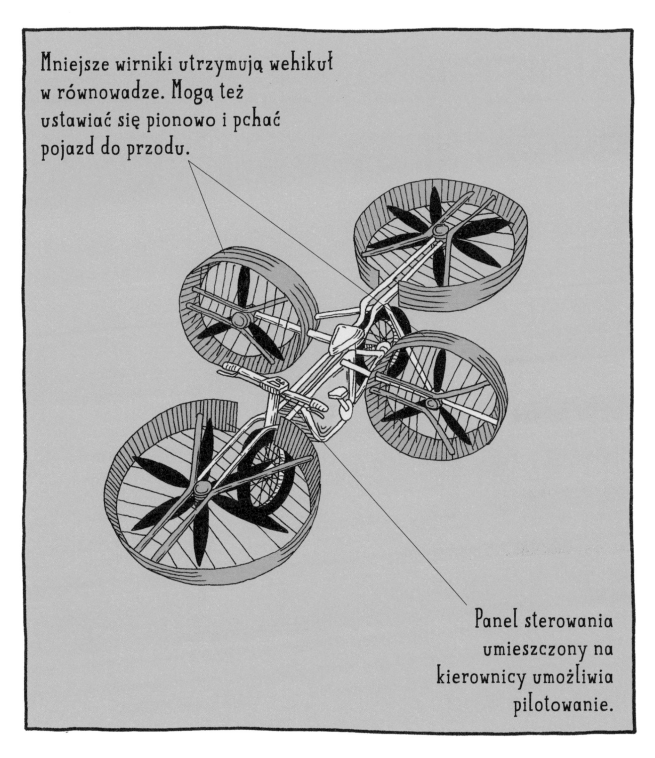

Panel sterowania umieszczony na kierownicy umożliwia pilotowanie.

Z latającym rowerem jest tylko jeden kłopot. Energii w baterii wystarcza zaledwie na 3 do 5 minut lotu. To wprawdzie dość czasu, by przelecieć nad ruchliwą ulicą czy ominąć kilka aut stojących w korku, ale czy warto z tego powodu poruszać się po mieście na rowerze z takimi michami?

Krocząca lokomotywa

Lokomotywa z nogami? Koń by się uśmiał! Choć nie dla żartu ją wymyślono, tylko po to, by zastąpić zwierzę. W XIX wieku konie wciąż były główną siłą napędową

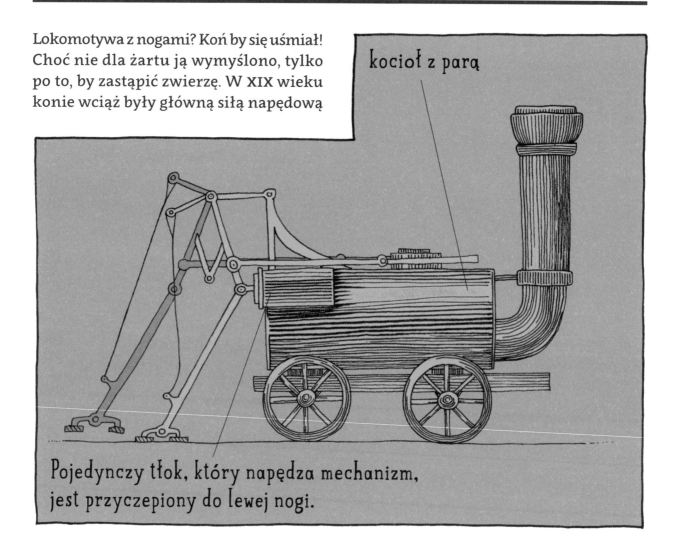

kocioł z parą

Pojedynczy tłok, który napędza mechanizm, jest przyczepiony do lewej nogi.

wszelkich maszyn i pojazdów. Tymczasem z powodu trwającej wtedy w Europie wojny koszty ich utrzymania rosły – pasza drożała, ponieważ armia wykupywała ją dla setek tysięcy swoich koni.

William Brunton, szkocki inżynier i wynalazca, wpadł na pomysł, jak zaoszczędzić. Skonstruował jedną z pierwszych lokomotyw parowych.

A ściślej: zbudował dwa „końskie" pojazdy – jeden ważył 2,5 tony, drugi 5 ton. Miał nadzieję, że z czasem jego wynalazek zastąpi tysiące zwierząt pracujących w kopalniach węgla. I pewnie wszystko poszłoby po jego myśli, gdyby nie wypadek, do którego doszło w 1815 roku. Podczas prezentacji większej maszyny kocioł z kutego żelaza wypełniony wrzątkiem

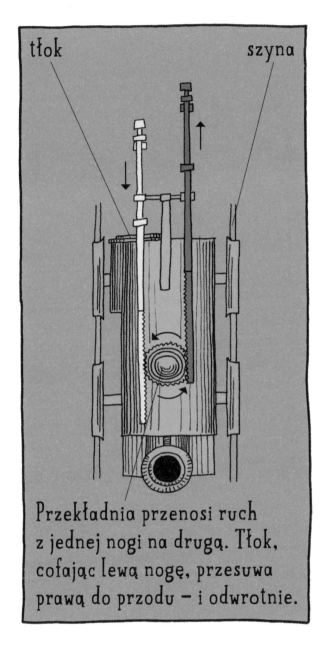

tłok   szyna

Przekładnia przenosi ruch z jednej nogi na drugą. Tłok, cofając lewą nogę, przesuwa prawą do przodu – i odwrotnie.

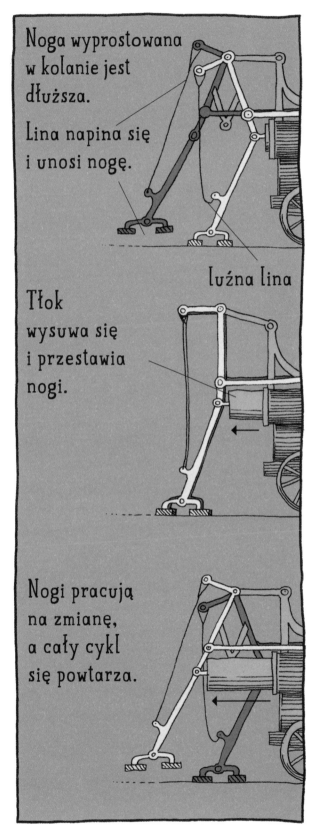

Noga wyprostowana w kolanie jest dłuższa.

Lina napina się i unosi nogę.

luźna lina

Tłok wysuwa się i przestawia nogi.

Nogi pracują na zmianę, a cały cykl się powtarza.

eksplodował, zabijając i raniąc wielu widzów. Ta pierwsza w historii katastrofa kolejowa zakończyła krótką karierę oryginalnej lokomotywy.

Dzisiaj podobne konstrukcje stosuje się w robotach i specjalistycznych maszynach kroczących. Tak czasem bywa, że stare pomysły odżywają po latach w nowych wynalazkach.

95

Magnetyczny napęd

Od kiedy w 1783 roku pierwszą podróż balonem odbyło doborowe paryskie towarzystwo w składzie baran, kaczka i kogut, w Europie zapanowało balonowe szaleństwo. Napowietrzne banie, jak je nazywano w Polsce, pojawiły się również nad Krakowem i Warszawą. Kłopot polegał na tym, że nie bardzo wiedziano, jak

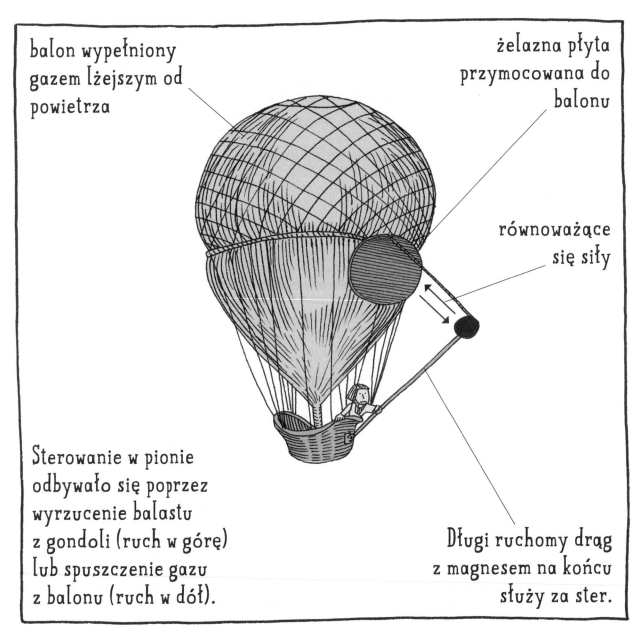

balon wypełniony gazem lżejszym od powietrza

żelazna płyta przymocowana do balonu

równoważące się siły

Sterowanie w pionie odbywało się poprzez wyrzucenie balastu z gondoli (ruch w górę) lub spuszczenie gazu z balonu (ruch w dół).

Długi ruchomy drąg z magnesem na końcu służy za ster.

nimi sterować. Od aeronauty, czyli lecącego balonem, niewiele zależało. Najczęściej niesione wiatrem balony dryfowały po niebie, aż w końcu zatrzymywały się na najwyższym drzewie albo wieży kościelnej. Nic dziwnego, że latanie nimi uważano za kosztowną i niebezpieczną zabawę. Głowiono się też, jak zapanować nad balonem w powietrzu.

Król zachwycił się projektem i wysłał jego opis do uczonych w Berlinie i Petersburgu. Ci jednak popukali się w głowy. Przecież to tak, jakby chcieć ciągnąć wózek, na którym się stoi! Bo nie tylko magnes przyciąga żelazną płytę, ale też żelazna płyta przyciąga magnes. Siły się równoważą – i nie następuje żaden ruch. W odpowiedzi uczeni poradzili, by poeta

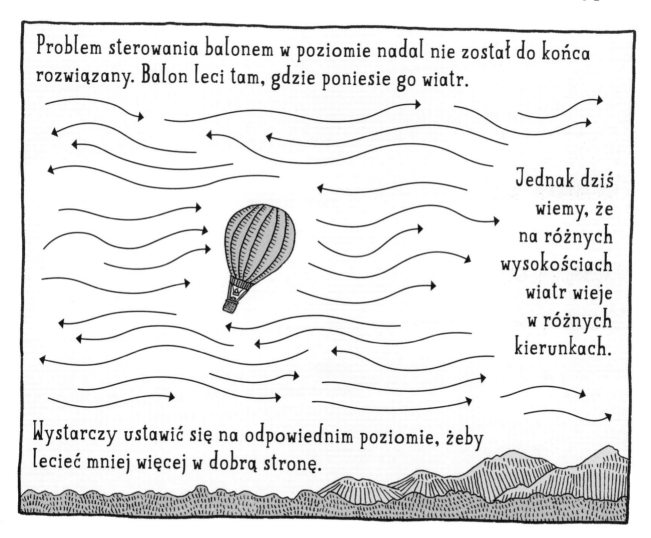

Problem sterowania balonem w poziomie nadal nie został do końca rozwiązany. Balon leci tam, gdzie poniesie go wiatr.

Jednak dziś wiemy, że na różnych wysokościach wiatr wieje w różnych kierunkach.

Wystarczy ustawić się na odpowiednim poziomie, żeby lecieć mniej więcej w dobrą stronę.

Na pomysł, który wydawał się obiecujący, wpadł Stanisław Trembecki – poeta i dworzanin króla Stanisława Augusta Poniatowskiego.

zapomniał o karierze wynalazcy, a swojej zbyt wybujałej wyobraźni używał jedynie przy pisaniu wierszy.

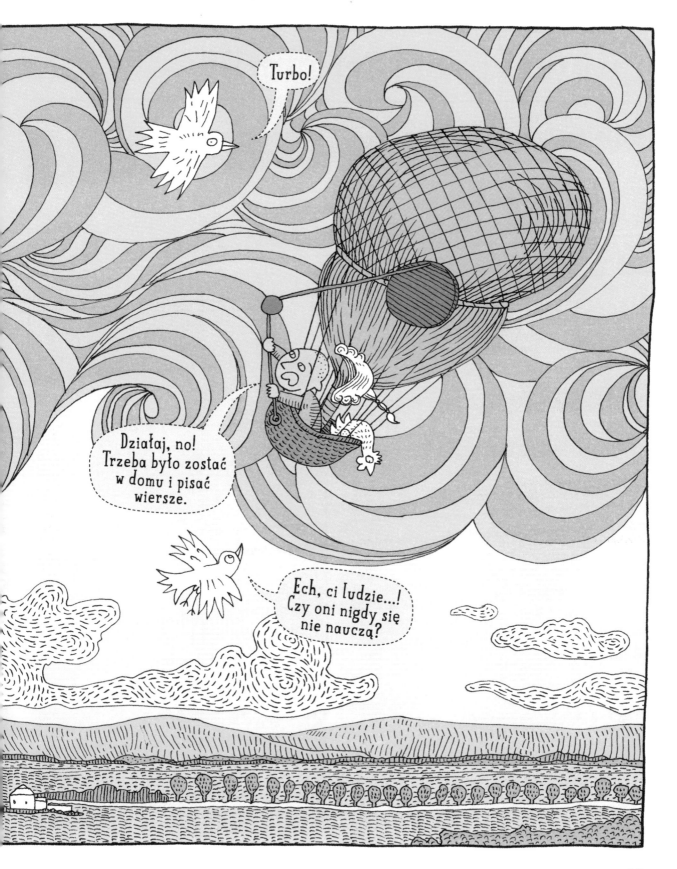

Cukierkowy sortownik

Stary teleskop, karmnik dla kolibrów, ceramiczne miseczki, czujnik kolorów i trochę masy epoksydowej. Co można z tego zrobić? Pewnie wiele rzeczy.

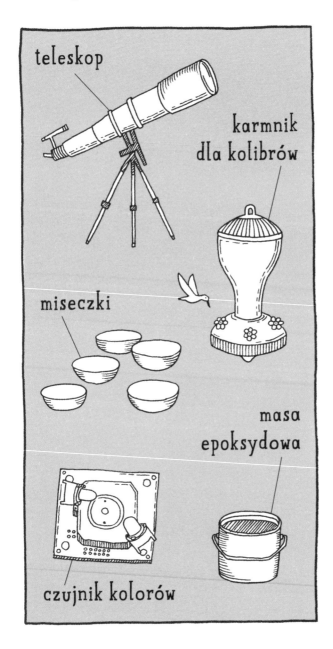

teleskop

karmnik dla kolibrów

miseczki

masa epoksydowa

czujnik kolorów

CZUJNIK KOLORÓW

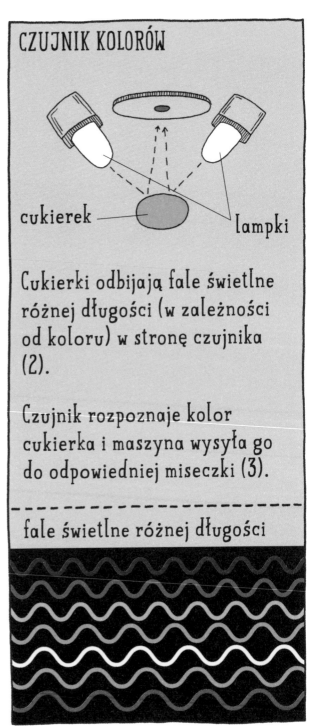

cukierek

lampki

Cukierki odbijają fale świetlne różnej długości (w zależności od koloru) w stronę czujnika (2).

Czujnik rozpoznaje kolor cukierka i maszyna wysyła go do odpowiedniej miseczki (3).

fale świetlne różnej długości

Amerykański artysta-inżynier Brian Egenriether w kilka weekendów zmajstrował z tego maszynę do sortowania cukierków według koloru.

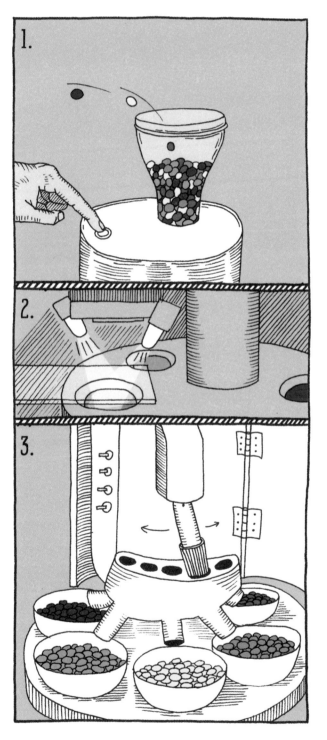

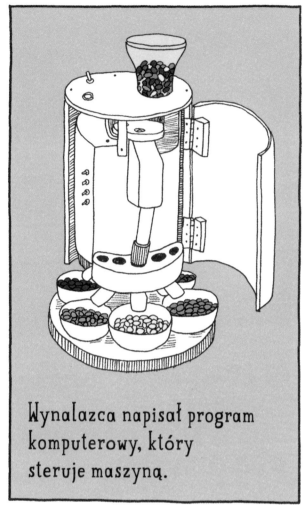

Wynalazca napisał program komputerowy, który steruje maszyną.

Większość elementów, a więc przede wszystkim obudowę i wewnętrzną osłonę mechanizmu sortującego, wynalazca wykonał z masy epoksydowej, która, gdy stwardnieje, staje się bardzo wytrzymała. Mechanizm rozpoznający kolory i segregujący cukierki został zrobiony z części starej lunety oraz łatwo dostępnego i niedrogiego czujnika kolorów. Pozostałe części – miseczki, drewnianą podstawę, metalowy uchwyt, zawiasy, śrubki i część karmnika dla kolibrów mającą kształt lejka – artysta znalazł w kuchennej szufladzie.

Garowóz

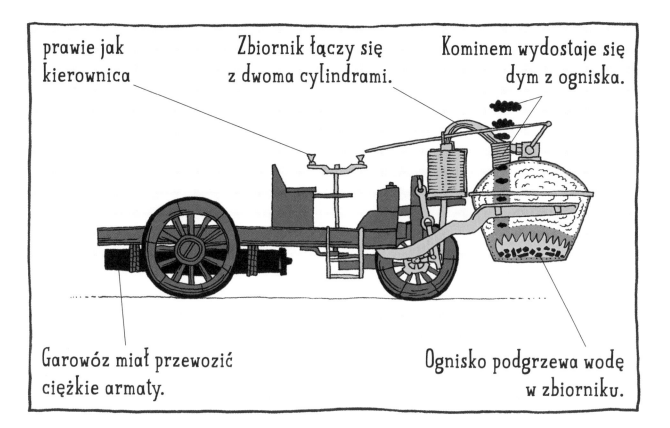

prawie jak kierownica

Zbiornik łączy się z dwoma cylindrami.

Kominem wydostaje się dym z ogniska.

Garowóz miał przewozić ciężkie armaty.

Ognisko podgrzewa wodę w zbiorniku.

Dziwo na trzech kołach z wielkim garem z przodu. Nie, to nie pojazd rozwożący ciepłą zupę, tylko prapradziadek dzisiejszego samochodu. Skonstruował go Nicolas Joseph Cugnot – francuski wynalazca i konstruktor.

Niestety, wóz okazał się bardzo niepraktyczny. Co 15–20 minut trzeba było się zatrzymywać i rozpalać na nowo ognisko, żeby mógł jechać dalej. Na dodatek toczył się w tempie wolno idącego człowieka. I niekoniecznie tam, gdzie chciał kierowca – układ kierowniczy był niedopracowany, co utrudniało skręcanie.

Podczas prezentacji w 1771 roku przed jednym z ministrów króla Ludwika XV konstruktor stracił panowanie nad wehikułem i spowodował pierwszy w historii wypadek samochodowy: na oczach przerażonych dworzan i gapiów pojazd wjechał w mur! Wystraszony minister odmówił finansowania dalszych prac nad wynalazkiem. Za to sam król docenił Cugnota i przyznał mu dożywotnią pensję.

Maszyna zachowała się do dziś i można ją oglądać w Narodowym Konserwatorium Sztuki i Rzemiosł w Paryżu.

Para ze zbiornika dostaje się raz do lewego, raz do prawego cylindra i wpycha znajdujący się w środku tłok.

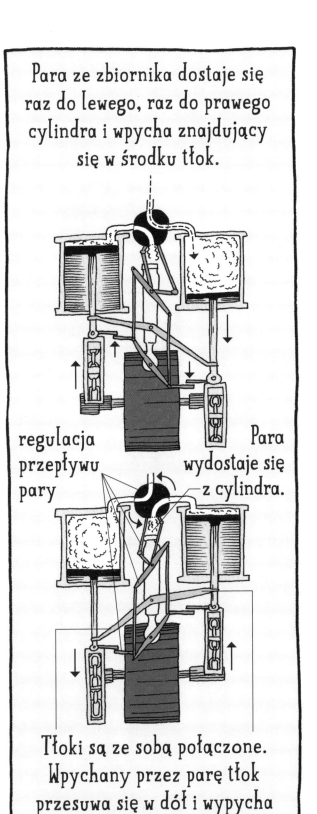

regulacja przepływu pary

Para wydostaje się z cylindra.

Tłoki są ze sobą połączone. Wpychany przez parę tłok przesuwa się w dół i wypycha drugi tłok w górę.

koło zębate

Przeciwny tłok ciągnie mechanizm do góry.

luźna klapka

Tłok pcha mechanizm w dół i napędza przednie koło.

klapka zahaczona o koło zębate

Skrzydlaty rekordzista

Dziś już wiadomo, że wykorzystując jedynie siłę ramion z przymocowanymi do nich skrzydłami, nie da się polecieć jak ptak. Człowiek jest za ciężki i za słaby. Za to komputery mogą coraz więcej. Co ma wspólnego jedno z drugim? Otóż komputery potrafią precyzyjnie obliczyć, ile siły potrzeba, żeby wznieść się w powietrze.

Inny ornitopter jest opisany na stronie 76.

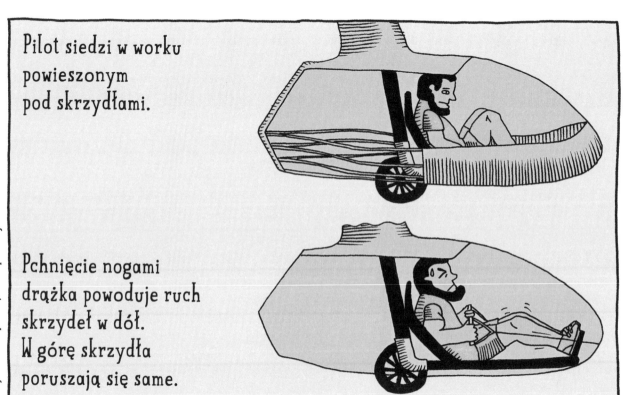

Pilot siedzi w worku powieszonym pod skrzydłami.

Pchnięcie nogami drążka powoduje ruch skrzydeł w dół. W górę skrzydła poruszają się same.

Skrzydła obracają się w czasie ruchu. Precyzyjnie obliczony kąt sprawia, że ornitopter przesuwa się zarówno do góry, jak i do przodu.

32 metry rozpiętości

ruch do góry

ruch w dół

Pomagają też ustalić, jaki kształt i jaka wielkość skrzydeł będą najlepsze. Dzięki temu oszczędza się czas i pieniądze, które dawniej poświęcano na budowę i udoskonalanie kolejnych wersji maszyn latających.

Młodzi naukowcy z Uniwersytetu w Toronto dokonali skomplikowanych obliczeń komputerowych i na ich podstawie zbudowali współczesny ornitopter. Nazwano go Snowbird, czyli Śnieżny Ptak. Snowbird wzniósł się na prawie 20 sekund. Przeleciał 145 metrów ze średnią prędkością 25 kilometrów na godzinę. Tym samym ustanowił rekord świata w kategorii lotu statków powietrznych napędzanych siłą ludzkich mięśni. Potem trafił do Muzeum Lotnictwa w Ottawie – tam można go oglądać.

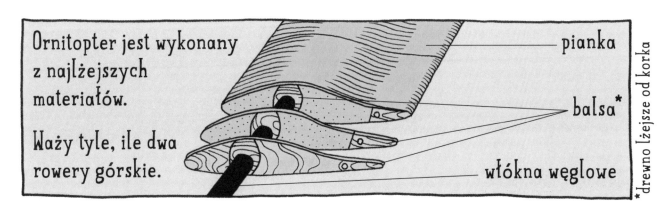

Ornitopter jest wykonany z najlżejszych materiałów.

Waży tyle, ile dwa rowery górskie.

pianka

balsa*

włókna węglowe

*drewno lżejsze od korka

Żeby ornitopter wniósł się w powietrze, trzeba go pociągnąć na sznurku jak wielki latawiec.

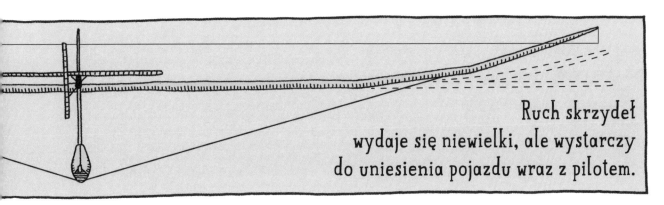

Ruch skrzydeł wydaje się niewielki, ale wystarczy do uniesienia pojazdu wraz z pilotem.

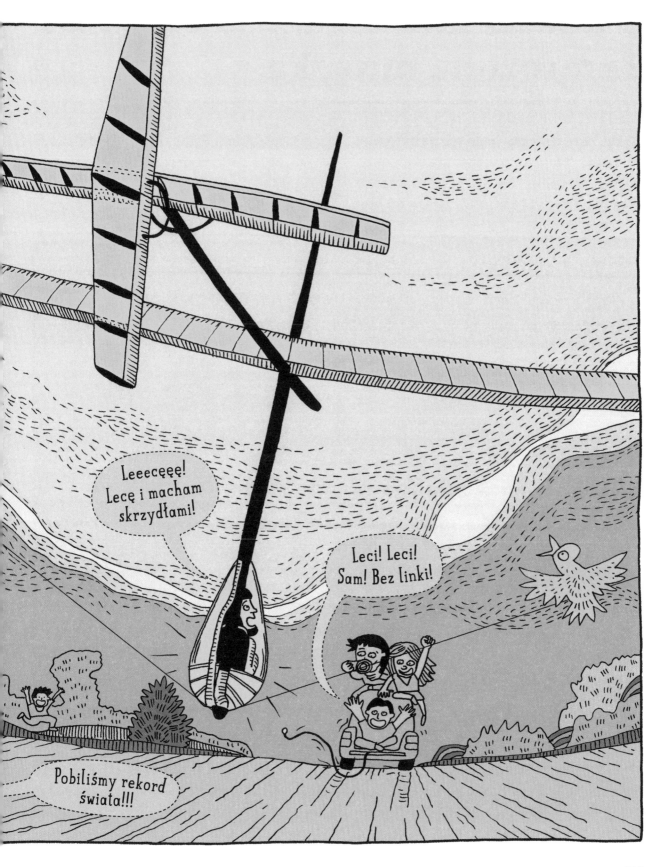

Zamrożona muzyka

Gramofon powoli staje się zabytkiem techniki, a mimo to wciąż ma wiernych fanów. Wolą oni szumy i trzaski starych poczciwych płyt gramofonowych od płyt się krążek do jednorazowego odsłuchania. Takie cudo wymyślili sztokholmscy projektanci z agencji reklamowej TBWA, znanej z oryginalnych pomysłów.

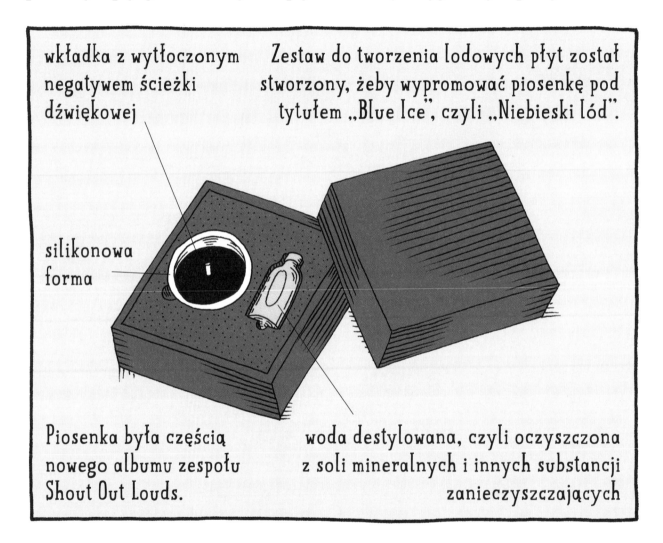

wkładka z wytłoczonym negatywem ścieżki dźwiękowej

Zestaw do tworzenia lodowych płyt został stworzony, żeby wypromować piosenkę pod tytułem „Blue Ice", czyli „Niebieski lód".

silikonowa forma

Piosenka była częścią nowego albumu zespołu Shout Out Louds.

woda destylowana, czyli oczyszczona z soli mineralnych i innych substancji zanieczyszczających

CD czy plików ściąganych z Internetu. Teraz po ulubioną muzykę mogą sięgnąć nie tylko na półkę, ale także do... zamrażarki! Tam w specjalnym pudełku mrozi Zamrożona płyta zawiera jedną piosenkę. Tylko tyle da się wysłuchać, zanim lód zacznie zmieniać się z powrotem w wodę. To wada wynalazku. A zaleta?

1. Wlej wodę do formy.

Użycie wody destylowanej zapobiega powstawaniu pęcherzyków powietrza.

2. Wstaw do zamrażarki.

3. Wyjmij po 4 godzinach.

4. Ostrożnie zdejmij formę.

5. Oderwij od lodu przymarzniętą wkładkę i gotowe!

Płytę lodową można odtworzyć na tradycyjnym gramofonie.

Znajomemu pożyczasz tylko formę – nie ma ryzyka, że porysuje ci ulubiony krążek. Zresztą sam też za każdym razem słuchasz muzyki z nowej płyty.

Drukowana baza

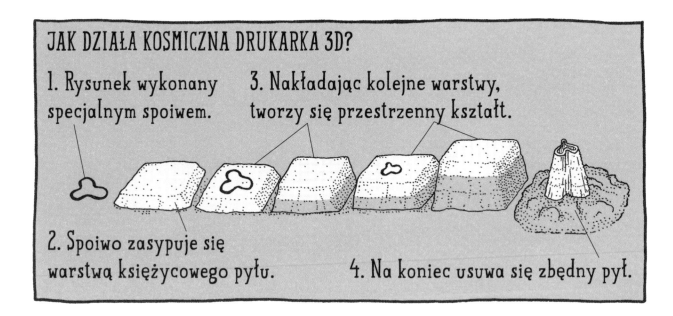

JAK DZIAŁA KOSMICZNA DRUKARKA 3D?

1. Rysunek wykonany specjalnym spoiwem.

3. Nakładając kolejne warstwy, tworzy się przestrzenny kształt.

2. Spoiwo zasypuje się warstwą księżycowego pyłu.

4. Na koniec usuwa się zbędny pył.

Wygląda na to, że już niedługo będziemy mogli budować domy za pomocą... drukarki. I to nie tylko na Ziemi, ale też na Księżycu! Pracują nad tym inżynierowie z londyńskiego studia architektonicznego Foster + Partners razem z Europejską Agencją Kosmiczną. Chcą zbudować niewielką bazę w tej części

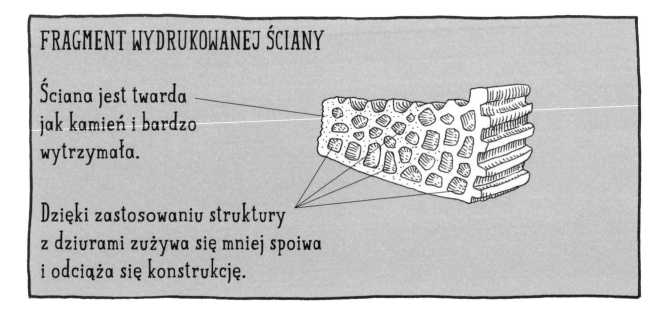

FRAGMENT WYDRUKOWANEJ ŚCIANY

Ściana jest twarda jak kamień i bardzo wytrzymała.

Dzięki zastosowaniu struktury z dziurami zużywa się mniej spoiwa i odciąża się konstrukcję.

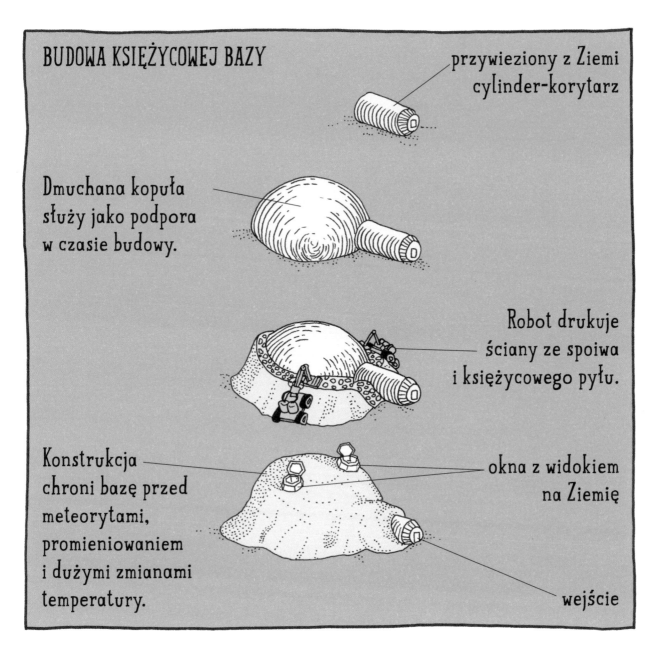

BUDOWA KSIĘŻYCOWEJ BAZY

przywieziony z Ziemi cylinder-korytarz

Dmuchana kopuła służy jako podpora w czasie budowy.

Robot drukuje ściany ze spoiwa i księżycowego pyłu.

Konstrukcja chroni bazę przed meteorytami, promieniowaniem i dużymi zmianami temperatury.

okna z widokiem na Ziemię

wejście

Księżyca, którą oświetlają promienie słoneczne. Mają zamiar wykorzystać do tego celu drukarkę 3D.

Tylko czy to ma sens? Tak! Przede wszystkim do budowy używa się w dużej mierze materiałów dostępnych na miejscu, nie przywozi się ich z Ziemi i dzięki temu się oszczędza. Poza tym sporą część pracy wykonują maszyny, bez udziału ludzi. To ważne, bo na Księżycu nie ma powietrza do oddychania, do tego w dzień panuje tam niewyobrażalny upał, a w nocy tęgi mróz.

W takim razie po co budować bazy na Księżycu? Czy ktoś zechce tam mieszkać? Oczywiście! Astronomowie już nie mogą się tego doczekać! Przecież to idealne miejsce do prowadzenia badań kosmosu.

Spis treści

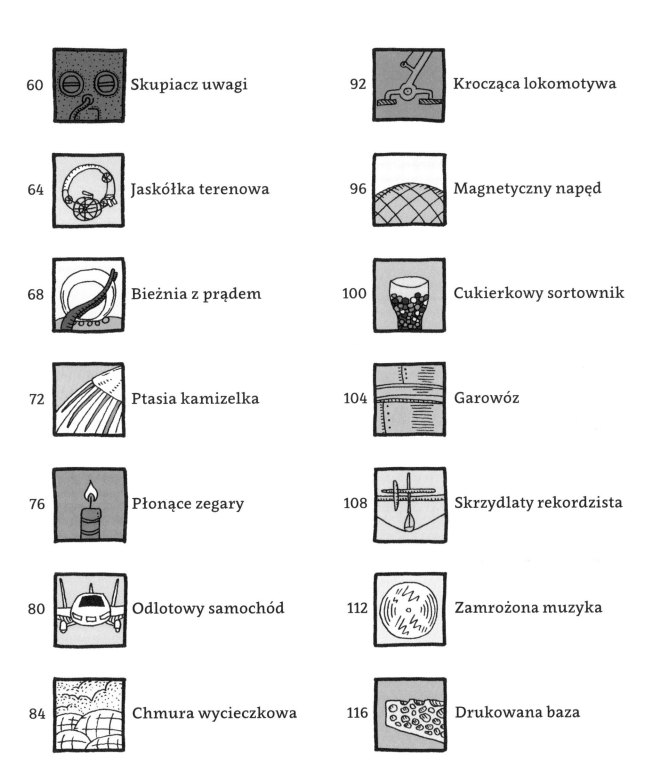

Tekst: Małgorzata Mycielska
Opracowanie graficzne: Aleksandra i Daniel Mizielińscy

© Copyright for text by
Wydawnictwo Dwie Siostry, Warszawa 2014
© Copyright for illustrations by
Aleksandra Mizielińska and Daniel Mizieliński, 2014

www.wydawnictwodwiesiostry.pl

Wydanie I
ISBN 978-83-63696-06-1

Redakcja: Magdalena Cicha-Kłak, Renata Lewandowska
Korekta: Maciej Byliniak, Anna Słowik

Druk: Perfekt

Książkę złożono krojami Clavo, Mr Lucky oraz Mr Dodo
i wydrukowano na papierze Alto Ivory 130 g.

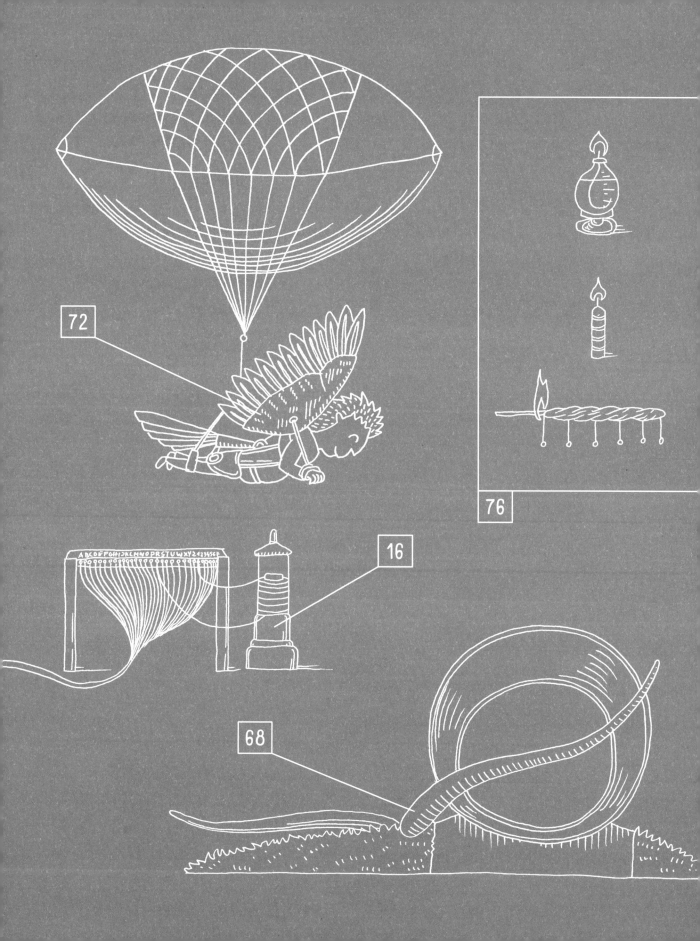